The Collected Shorter Poems of Tom Scott

By the same author

Poems

Seeven Poems o Maister Francis Villon
(Tunbridge Wells, Pound Press, 1953)
An Ode til New Jerusalem (Edinburgh, M. MacDonald, 1956)
The Ship and Ither Poems (Oxford, Oxford University Press, 1963)
At the Shrine o the Unkent Sodger (Preston, Akros Publications, 1968)
Brand the Builder (London, Ember Press, 1975)
The Tree (Dunfermline, Borderline Press, 1977)
The Dirty Business (Ayrshire, Luath Press, 1986)

Prose

Dunbar: A Critical Exposition (London, Oliver & Boyd, 1966)
Tales of King Robert the Bruce (London, Pergamon Press, 1969)
True Thomas the Rhymer (With Heather Scott: London, OUP, 1971)
Tales of Sir William Wallace (Edinburgh, Gordon Wright Publishing, 1981)

Editions

Oxford Book of Scottish Verse
(with John MacQueen: Oxford, Clarendon Press, 1966)
Late Medieval Scots Poetry (London, Heinemann, 1967)
Penguin Book of Scottish Verse (London, Penguin Books, 1970)

Audio Cassette

The Poems of Tom Scott (Glasgow, Scotsoun Makars Series, 1993)

The Collected Shorter Poems of Tom Scott

Agenda/Chapman Publications
1993

Jointly published by
Chapman
4 Broughton Place, Edinburgh EH1 3RX, Scotland
and
Agenda
5 Cranbourne Court, Albert Bridge Road, London SW11 4PE, England

The publishers acknowledge the financial assistance of the
Scottish Arts Council in the publication of this volume.

A catalogue record for this volume is
available from the British Library.

Paperback: ISBN 0-906772-55-9
Cloth-bound: ISBN 0-906772-56-7

Designed & typeset at *Chapman* by Peter Cudmore
Cover design by Fred Crayk

Printed by
Cromwell Press Ltd
Broughton Gifford
Melksham
Wiltshire

Contents

Acknowledgements

Some of these poems, or versions of these poems, have appeared in the following magazines, newspapers and anthologies:

Agenda, Akros, The Akros Anthology Of Scottish Poetry 1965-1970 (Akros Publications, 1970), *Best Of Scottish Poetry* (Chambers, 1989), *Cencrastus, Chapman, Encounter, Faber Book Of Twentieth Century Scottish Poetry* (Faber & Faber, 1992), *Gambit, Glasgow Herald, Life And Letters, Lines Review, Littack, London Magazine, Modern Scottish Poetry: An Anthology Of The Scottish Renaissance* (Faber & Faber, 1966), *Modern Scots Verse 1922-1977* (Akros Publications, 1978), *New Statesman, New World Writing, Nine, Nuova Poesia Scozzese* (Celebes Editione, 1976), *Oxford Book Of Verse In English Translation* (OUP, 1980), *Penguin Book Of Scottish Verse* (Penguin, 1970), *Poeti Della Scozia Contemporanea* (Supernova, 1992), *Poetry Now, Poetry Scotland, Poetry London, Poetry in Wartime* (Faber & Faber, 1942), *Poetry, Scotia Review, Scottish Art And Letters, Scottish Poetry Book* and *Second Scottish Poetry Book*, (OUP, 1985), *Scottish Love Poems* (Canongate, 1975), *Scottish Satirical Verse* (Carcanet, 1980), *The Ring Of Words*, (Oliver & Boyd, 1970), *The New Makars* (Mercat Press, 1991), *The Scotsman, The Voice Of The Lion* (Paul Harris Publishing, 1981), *The White Horseman, Times Literary Supplement, Twelve Modern Scottish Poets* (University of London Press, 1971), *Voices Of Our Kind* (Saltire Society, 1971) or broadcast by the BBC.

Introduction

In his author's note to his long poem *The Tree*, Tom Scott, paraphrasing "that great pioneer of ocean exploration Jacques Cousteau", says that a fact is an emotional thing, that one cannot separate facts from what we feel about them. *The Tree* is a heroic poem of facts, a most remarkable *De Rerum Natura*, which only a dedicated poet could have produced.

The Collected Shorter Poems too have a wealth of facts, but here ideas, and the emotions they generate, or are generated by, are splendidly dominant, and powerfully applied to the lives of many kinds of people, historical, literary and contemporary, indeed of "ordinary" humanity, as well as of the great and famous and notorious. This is notable in the magnificent 'Brand' poems; in the amazing epic 'The Ship', a long short poem with a most powerful transformation; and in the troubled, poignant and questioning poems of 'The Paschal Candill'.

Tom Scott sees life "whole" and sees it passionately, with the passion generated in some by multifarious knowledge, for he has a craving for knowledge, the kind of knowledge that he saw in one of his heroes, D'arcy Thompson, who was a Professor of Zoology, but could also have been a Professor of Greek or of Mathematics.

In the interesting Epistles to David Morrison, Scott tells much about Scotland and about himself. In the second of those Epistles he makes the significant comment that is modestly true of himself, whatever its truth about Edwin Muir and Hugh MacDiarmid: it is contained in the second last verse paragraph (page 163): "And as wi social historie...and taught oor poesie to think." The line in parenthesis: "a makar's mind's mair practical", is a wonderful commentary on such very fine poems of his own as the 'Brand' poems, 'The Ship' and 'The Paschal Candill', and indeed on the great majority of his poems.

Tom Scott knows a great deal about nature and about mankind, about history and about art, about the human body and the human mind. He has translated much poetry, from poets as different as Dante, Villon, Baudelaire, the Anglo-Saxon Seafarer, Meleager, Antipater and so on. He knows the ecstasies of the mind and of the flesh, and how it is necessary for the most rarefied idealism to find fruition in the practical, and he never closes his eyes to the horrors and evils of life.

I venture to think that Scott is greatest in what I would call his long/short poems, of which I have mentioned some, but there are many of the really short, or fairly short, poems that are very striking, and more than very striking. I do not know what

9

TS Eliot was really trying to convey by "In the juvenescence of the year/Came Christ the tiger..." but Scott's 'Tegir' is a powerful comment on the history, or parts of the history, of the Christian Church. 'The Tegir' has also the great gift of originality, I mean, of course, the originality that is not factitious or freakish. 'Ahab' and 'Orpheus' as well have this characteristic originality and power that Scott so often has. 'Dundee Hospital Ward' has a more unusual but nonetheless real power.

'At The Shrine O The Unkent Sodger' is one of the long/short poems and has the fullness of experience and of thought which Scott's poems have so much. 'Johnnie Raw Prays For His Lords And Maisters', with its telling irony, is one of those most impressive long/short poems, but 'On Hiroshima And Nagasaki' is powerful with only four lines, and the fine poem, 'Burial O Stuart Macgregor' puts in fourteen lines what Scotland lost through the early death of a man of outstanding vitality, ability and generosity. The tribute to Joan Eardley is a noble one with a poignant humanity, and of the two Aberfan poems one is a great cry against human greed and the other is full of anguish for the many and great griefs that come on ordinary humanity; but 'Seashore Music' has the rapture that comes from human love and happiness in a loved environment.

Tom Scott is a poet who is not afraid of being different, who knows much, who has proved academic ability in literature, but who knows also much about philosophy, natural sciences and history and is capable of applying such knowledge to ordinary human life; a man who knows, thinks and feels strongly, is an internationalist and a patriot, who loves the world and hates only humbug, greed and cruelty.

Sorley MacLean

Author's Preface

My earliest poems were written in a kind of skinned-off English, dominated by the Romantic tradition, my essentially Scots voice being repressed by what passed for education. Dissatisfied by this, I began to search for my own voice, and thanks to a Rockefeller Award making it possible to travel in Italy and Sicily, the Greek temples of Agrigento had a strangely liberating effect on me. Here, away from the shadow of London, I discovered my Scots voice, moving from the English romantic tradition to the European realist one, setting myself to school with Villon, Dante, the Renaissance Scots Makars and others. After two decades of writing only in Scots, the exactions of a long poem on animal evolution, *The Tree*, forced me to turn to English again – but a very different kind of English. Out of this struggle to find my own voice I evolved a medium which flows easily from English to Scots to English, as the work demands.

My first technically challenging work in Scots was *The Paschal Candill* (1954), modelled on the style and orthography of the great Renaissance Makars. Though broadcast on the Third Programme BBC, I didn't publish it until persuaded to in 1993. It is different in style and such from all my other Scots poems because I later came to accept, more or less, the Scots Style Sheet drawn up in 1947 by a dozen or so colleagues in the interest of creating a standard literary Scots, distinct from the dialects. No such standard existed then, nor exists now, so I crave the reader's indulgence for seeming inconsistencies here and there. What is published in this collection to a large extent mirrors my own development in the language, and the changing ideas about its use over the last forty years. The poems in English – Scenglish rather, as anyone who heard me read would agree – speak for themselves.

I am indebted to all those who have made this book possible, many of them acknowledged elsewhere in these introductory pages. But I should like particularly to thank the editors of *Chapman* and *Agenda*, Joy Hendry and William Cookson respectively, and for work on preparation of the book, Robert Calder, William Neill, Ian Montgomery and particularly Peter Cudmore.

For Heather Scott
Joy Hendry
& Kathleen Raine –

The aye-abydan three.

The Tegir

In the juvenescence of the year
Came Christ the tiger... *T.S. Eliot*

Ay, in the bairntime of the year...
No to be ate but made at hame,
Tail sautit, claws paired,
To be stawed in a cage and tamed,
Exploitit by ilka showman in the trade.

There, ti this day, he aye dwaums on,
Teased by the simmer's flees,
Moth-eaten, dosant, a pastime for bairns,
A kin o curiositie
To while awa an efternuin.

Whit dreams maun brek his dozin whiles
Eftir he's wowfed his horsemeat doun
In days o mair nor ordinar heat...
Dreams o his braw early days
When forests shuddert at his tread.

Days when, gaean doun a street,
Saw wad be left half-throu the log,
Whure forget to claim her fee,
Customer to rin awa:
When riever wad stop rinnan
Policeman chasin,
Dollars lie on the tray unchanged,
Lame legs walk, blin een see,
The very daed rise up at his voice
And syne peel aff the outraged grave.

Ay, syne nae maitter whaur he gaed
Money-lenders slunk awa,
Law-sharks fairly gnashed their gooms,
Blin mous were chastened,
The auld men plottit agin his life.

But nou he gangs an unco gait
Consortan wi mair powerfu freends:
The wowf, the bear, the anaconda,
Eaters o human flesh, unhorrified Thyestes.

And nou that he's auld and mealie-moued,
Stuck in some rank neuk o the zoo,
His voice, when he mews, is Caiaphas's.

Ahab

Yon day when, iron-fast ti Moby Dick,
The fleean whale-line claucht him frae the boat,
He didna dee. Even afore the water
Closed abuin his heid, he'd got baith nieves
Ticht on the stentit rope and freed his haus.
Syne he micht hae saved himsel and gien
The baest the slip, but, like his hands, his harns
Seized on the rinnan line, as mongoose chafts
On a cobra lock till daeth, or till it wins.

Doun throu deeps nae man had ever seen
In the wauk o the whale he gaed, a clod o earth
At the tail o a kite in a windy sea o sky.
Whether it wes that God syne heard his prayer
Or her that saved Ulyssie frae the swaws
Petied this chiel tae, I dinna ken,
But ken some ferlie spell kept him frae daeth.

Past trees o coral, sunken hulks, he gaed
And fish's maws grew rounder at the sicht.
Hermit-crabs fair couried doun frae them,
Dauphins skelpit awa like fleggit queyns,
The ferny weeds theirlane stude aye still
Or boued their crouns as thir twae whuddit bye,
And the pearly argonauts on the surface swaw
Felt nae reishle o the steir ava.

Bylins the rush was owre, and Moby Dick
Surfaced, forfochen, lowdert, seik wi pain,
And lolled in the lea o an unkent coral isle.
He had nae thocht but he had left ahint
His enemies to perish in the sea,
Until the heid o a lowse harpoon he'd trailed
In the taigle o gear that gey near masquit him
Found his hert, whaur Ahab had at last,
Sclimman up the baest's hauf-senseless back,
Driven the daeth-strak hame.

                     The island natives
Took him for a god, and knelt and prayed
When they saw the wuiden-leggit, hauf-deid man
Hirplan ashore, haulin at the line
That held the whale. Ahab at last wes free.

Orpheus

Ye think thon wes the end?
Yon meetin in the wuids
When Thracian Orpheus heard the drum, the cries,
The whud o the bacchantes' thrangan feet
And, seik in saul,
Mad to be jyned for aye to his Eurydikee,
Strung his harp
And gaed to meet them wi a sang.
Ye think thon wes the end?

Na. Eftir the thrang breeled on, red
Fingert, bluidie-mawed, the riven limbs
Quiveran aye amang the mairtyred gress,
There wes a lull
And throu it syne a roun
And syne as muckle's a moan
And syne a voice,
Yon voice o his
That quietit the forest and its fowk,
That reconcilit lion and lamb,
Ordert the rain,
Spoke frae the grund
And threept in the greitan tree –
"Euridikee! Euridikee!"

And at the name
A ferlie thing wes duin.
Thir broken bits o bodie, bits o bane,
Brisket, gash, airm and droukit hair
Cam thegither as gin some will
Mair nor the merely real
Had wrocht on them.
And on yon slauchtert grund was formed
Orpheus anew,
Orpheus the singer, Orpheus the makar,
Orpheus cleansed o the auld despair.
And by the halie tree
In the leaman licht o the wuid,
Squired by a houlet, a hawk and a doo,
Wes his Euridikee.

They say he made a new sang,
A nobler nor the auld,
And sings it aye in the great haa o the warld.

They say it will nevir end.

The Bride

I dreamed a luesome dream o ye yestreen.
Ye stuid in dawan fields agin a purpour lift
And a tree o floueran starns raise frae your croun.
Lown as a simmer sea ye stuid, your breists
Keekan throu the lintlocks o your hair,
And ye were leaman wi a radiance eterne,
My ever-virgin, ever-breedan bride.

Your waddin-kiss, the warld your body is
Are brenned ayebydan in my benmaist hert
As Psyche's oil in Eros' shouther brenned.

Wap your love-spells round me evermair,
Bind me ti you wi your daethless love,
My queyn, my queen, dochter o oor God.
Lead me on throu evergrouwan licht, and be
My love, my ain, the guide o the guid in me.

In burns o immortal rain baptise me, love.

Dundee Hospital Ward

Ay, whiles I think on thir auld bits and banes,
The cancered, rottit, syphilitic anes
Liggan yonder, waitin for mercifu daeth
To come and take awa their last, tormentit braeth
And lat them be for aa the lave o time.
They glowered on me as gif it were a crime
To be tortured by life, and no daeth, like them.
Whaur did they hail frae? Whitna kin' o hame
Wes left in whit kin' o state to byde their en'?
In whitna Dundee dunnie did some auld hen
Sit at her open windae aa herlane –
Lookin doun on some waste-littert street
Whaur raggit weans wi waesome bare feet
Play like mongrels in the clairty gutters,
Or speil up lamp-posts or chip-shop shutters –
Spieran at ilka passan face for his, in vain?
Or in whit dowdie and genteel prefab
Did young things hope and pray that his grizzlet gab
Providence wad staw
Ance for aa?

The Mankind Toun

Hou lang we've socht
I dinna ken
For a toun that micht
Be fit for men.
Ten thousant year
Or mair or less
But yond or here
Wi smaa success.

We've fled mirk Thebes
Wi Ikhnaton,
Fleggit the grebes
By Babylon
And sat in quorum
Man ti man
In Karakoram
Wi Jenghiz Khan:

Seen Nineveh,
Byzantium,
Sidon, Troy,
Cartago, Rome,
Corinth wi its
Wreathit touers,
Damascan streets
Wi Astarte's whures,
Been amang the tents
Round Samarkan
And alang the bents
By Trebizon.

Frae Nippur, Tyre,
Jerusalem,
Athens, Palmyra,
Pergamum
Ti Florence, Venice,
The toun on Thames,
Imperial Vienna's
Waltzan dames,
Braw touns we've seen
And will again,
But nane that hes been
Fit for men.

Shall we never find
The toun whaur love
Rules mankind?
Whaur the hawk, the dove,
The houlet form
A trinitie
That keeps frae hairm
Ilk chimney tree?
Whaur first is laist
And ilk and ane
Gie free their best
Ti brither men?

Whiles it seems
It canna be
Binna in dreams,
Or till we see
The minarets,
The spires that rise
Abuin the yetts
O Paradise.

But na, we'll find
Midnicht or noon,
Oor vagin's end,
The mankind toun:
Yet bidan true
Ti the Sender's aims
Seek further new
Jerusalems.

The Fall

Yon auld chiels wha scrievit Genesis
Telt an unco version o the turn
Cowped oor parents oot frae paradise:
But wha are we to girn agin their tale?

Yet me, when whiles my musin taks me back
Til yon first pair, the scapegoats o oor sin,
Or til yon scapegoat chiel, their saviour son,
I cannae but see them in a different licht.

I like to think that they were blithe and young
And laucht by bonnie burns, and kissed, and ran
And played, like Shakespeare's weirdit pair o lovers,
Bare and swippert as twa strippit sauchs:

And quite by chance found oot a dernlike wey
Frae the garth o paradise, and syne forgot
Hou to get back... or found the yett
Yimmit by twae sheenan cherubim.

God himsel lookt doun,
Lovan his saikless bairns, yet helpless tae,
Claucht in the grip o his ain integritie.

Dear sauls, let ithers wyte ye as they will
And saviours dee to save us aa frae ye:
My wae's my ain: ye'se dree nae wyte for me.

Ceòl Mòr

Sound ti me ance mair thon noble music
    That sings ti live fowk o the daed,
Tellin o oor ancient weys and people
    Dirlin awa the silent mirk.
Let us hear again thon benwart glory
    That burns throu time ti daethless love,
Steirin thocht o auld, heroic livin
    In this dow, disjaskit land.

The live sing o the daed,
The auld people,
Dirl awa the silent mirk
Wi benwart glory
That burns wi daethless love
(O dow disjaskit land!)
Throu the music.

Love o this noble people,
Land that fechts the mirk,
(People o heichest glory,
Daed ti less nor love)
Music for the livin,
Glory ti this land
(Mirk withoot its music)
Livin, is brocht frae the daed.

Sall the bairns o the goddess that herried the mirk
    Gie owre their battles for glory
That the born-o-the-licht maun be fechtin for love,
    Scourin the lamps o the livin?

The perennial gift ti the warld frae oor land -
  Noble in thocht as in music –
Is thus to be clearin the live o the daed:
  Keepin the paths for the people.

Suirly it's no to be endit, this glory,
Nor the croun to be kaaed aff their majesties, Love?
Gif it be sae, syne Christ succour the livin,
Or we'se tine ti the sea-maw and wildcat this land.
"Never, sae lang as I sound", says the music,
"Sall the faith o oor forebears be tint ti the daed:
No tho the heirskip sould pass frae the people,
And the licht be owreborne for a while by the mirk."

O licht again the leaman lowe o love,
  Licht the lave, the livin,
Them that are lessit the tentin-o this land
  Made – and murned – this music.
Deil tak aa defeat that dang the daed,
  Aa past pesters this people.
May aa man's makin micht agin the mirk
  Grace again get, glory.

Tell us, ay, our grief aye gravels the livin,
  Hou sorrow hurts and hairms this land
Torn atween belief sits sair, and music
  That micht gar dance the michty daed.
Let nae tears murn owre this noble people
  That ken nae compromise wi mirk.
God, thir years burn on wi ungrieved glory
  Canna caa for aucht but love.

O sound again the pain that reft this land,
  Sing the faith owre daeth that is this music.
Let tell the bell leaves us bereft o daed,
  Praise the ways, the lays, that wes this people.
Let sicht abet the licht to beat the mirk:
  Girnin gat nae bairn, nae grain ti glory,
And nicht can get nae sicht to better love,
  Silence licht nae oil mair brichts the livin.

            Hear this music
            Speak o the daed
            Talk o the people
            Edged on the mirk.
            Can sic glory,
            Courage, love
            Pass frae the livin
            In ony land?

The Real Muse

No for you, my queyn, will I prepare
Some jewelled mansion in supernal air,
Nor cled ye in a queen's imperial goun
And get ye constellations for a croun.
But I sall mak a hame here in my breist
Whaur nicht or morn ye'll find some peace and rest,
And real love sall be your wearless dress,
Its lown licht set aff ilk yellow tress.

Frae ilka thing that's real I sall draw oot
Some fibre to wap in your ilka clout:
The tang o saut oil in the harbour air,
The reek o stale ammonia on the stair,
The hillock's bouk that rears abuin the toun,
The broken twigs the burn in spate brings doun:
Somethin frae the tenements and streets
And somethin frae the bothies and the peats.

The wails o clekkin gulls by shore or park,
The lampposts drouked by aa the dogs that bark
Sall aa be made to yield some tribute til ye —
And you will no be blate to tak them, will ye?
The mornin cups o tea, the hauf-croun lunches
Mell wi your swift thochts and faddomed hunches,
And bairns in the street sall mime for you
The ritual sacrifice wes ance your due.

The typewriter, the loud conveyor-belt,
The smeltan furnace and iron smelt,
Donkey-engines cletterin in the sumps
And diesel anes drivan the pechan pumps
Sall bring some bit o girst inti your mill:
Yet aye the singan tree be singan still,
The burn aye bear the trout, the trout the spawn,
And owre the tarn's mirk water smool the swan.

Frae sicna things, my love, I'll mak your goun,
Leavin hevin and hell for the real toun,
And hame frae vagin in the skies and seas
Frae Earth mak you immortal images.

The Vision

The white touer and the grey swaw
   Strike upon my noonday sicht:
I ken nae better sicht ava
   Nor saut water in sunlicht.

Yet whiles, my luve, ablow the muin
   When frae your clouds you've stilpit free,
A mallachie leam they happit in,
   I feel there is nae sicht like thee.

The Annunciation

Ye'll lig your waddin-nicht yourlane
   Your legs aspar ti nocht but air,
And it will get in ye a son
   Yet never pairt your maiden-hair.

Ye'll hain yersel baith nicht and morn
   And letna your guidman steir ye, will ye,
Afore the ferlie bairn is born
   And broached your virgin nipples til ye.

Tak tent nou, I maun gang my road:
   Ilka word I've said is true.
And aa I've ever envied God
   Is bairnin o a lass like you.

Psyche Left Herlane

Out whaur yon drystane dyke pairts aff
   The carry frae the muir,
The gray muin straws the sterns like caff
   Throu the caller air.

It wes at this hour he wad come
   As a seuch that steirs the hair,
Reeshlan like the leaves that thrum
   Outbye on the gairden stair.

Eros Left Hislane

Mither, frae this dreich muir o hevin
  Aa day I peer doun at the Erd
Whaur my brukle love amang the livin
  Drees in pain the mortal rerd.

Gang ye, mither, and tell her plain
  Her love is burnin in me still
And gin she hauds true throu whitna pain,
  She'll swey evin the gods' will.

Gloamin

frae Baudelaire

Comes the gloamin hour, the cut-throat's freend;
Comes on sleekit fuit wi wowfish mien.
The lift like an auditorium dims doun,
And man waits till his change to baest comes roun.

O Nicht! O freendly nicht, fair dear ti men
Whase airms and harns can say: 'This day, Guid kens,
We've duin our darg!' The nicht alane can cure
The faroush pain in eident spreits and dour –
The trauchlit scholar's, as he rubs his brou:
The forfairn workman's, hapt in the bedclaes nou.

Bylins the air's malorous deils again
Sweirtlie steir theirsels like businessmen
To jow in their flicht the gable-ends and shutters.
Frae thir red lamps the wind shaks owre the gutters,
Like some ant-hill that opens wide its doors,
Streets are lichtit by the sauls o whures.
Like traitors aye some dernlike wey they shaw
Ti chiels that kill guid-livin at a blaw.
They steir the glaur o ilka toun's main street
Like scoyan worms fowk dinna ken they eat.

Here and there ye smell a kitchen's brew,
Hear theatres roar, some band channer and mew.
Mirklan cafes, spivs' haunts and their ilk,
Fill up wi pimps and whures in crepe and silk,
And picklocks, saikless o guid sense or thocht
Cantilie gang ti the yae darg they're aucht,
Cannilie forsin windae, safe and lock
For daily breid – and cled some doxie's dock.

23

Steel yoursel in this mirk nicht, my saul!
Turn a deif ear tae yon caiterwaul.

This is the hour when seikly fowk get waur.
The mirk nicht grips them by the throat, and owre
They gang, inti the pit whaur they began.
The wards are fu o their sichin – mair nor ane
Winnae come back to preive the Sunday jynt
By the fire, nor clek wi cronies owre a pint.

Ay, maist o them hae never kent a hame,
Nor muckle else in life forbye their name.

Quatrain For The Gallows

frae Villon

I am France's, born o stock
Native ti Paris, Ponthoise folk.
Sae, for this gey wersh French joke,
My haus maun feel the wecht o my dock.

Ballat O The Appeal

frae Villon

Whit think ye nou, Garnier, my man,
O my appeal? Ye hoped I'd dee?
Ilka baist hains its ain skin.
Nae maitter hou braw the mews may be,
Gie a bird the chance and awa he'll flee.
When fowk were aa for haein me hung,
Judged out o hand by swickerie,
Wes yon a time to haud my tongue?

Had I been o King Hughie's line,
Heir o a butcher's dynastie,
Ye'd neer swalled me like a sausage-skin
Wi puir man's wine in your surgerie –
Ay, ye ken the gangrel-clek, I see!
When you were ettlan to see me flung
Ti the gallows-craws by a fell coorse lee,
Wes yon a time to haud my tongue?

D'ye think I staw this heid o mine
Wi no as muckle philosophie
As raers out, 'I'm appealin', syne?
Gin thon's yir thocht, I'm tellin ye

Juist hou faur it gangs ajee.
When I was telt 'Ye're to be strung
By the haus till deid', man, answer me,
Wes yon a time to haud my tongue?

Prince, gin I'd played Raw Johnie,
Out there wi Clotaire I'd be swung
Like some hoodie-craw in a poulet-ree!
Wes yon a time to haud my tongue?

Ballat O The Hingit

frae Villon

Brither-men that eftir us live on,
Harden no yir herts agin us few
But petie the puir chiels ye gove upon,
And God's mair like yir ain faults ti forhou.
Five or sax o's strung up here ye view,
Our tramorts, doutless pettit whiles wi stew,
Theirsels are suppit, tho gey wersh the brew.
When that our banes ti dust and ashes faa,
Dinnae lauch at the sinners dree sic rue
But pray the Lord has mercie on us aa.

And gin we caa ye brethren, dinnae scorn
The humble claim, even tho it's true
It's juist we swing: ye ken weill nae man born
No aa the time is blest wi mense enou.
Sae for our cause, guid-hertit brethren, sue
Wi the Virgin's Son they hingit on Calvary's bou,
That grace devall afore our judgment's due
And kep us up in time frae hell's gret maw.
Sen we are deid, ye neednae gird at's nou
But pray the Lord has mercie on us aa.

We hae been washed and purifee'd by rain.
The sun has tanned our hides a leathery hue.
Craws and pyes hae pykit out our een
And barbered ilka stibble chin and brou.
Nae peace we ken the twenty-fowr hours through
For back and furth, whiles braid-on, whiles askew,
Wi ilka wind that blaws we twist and slue,
Mair stoggit nor straeberries, and juist as raw.
See ti it you never mell wi sicna crew
And pray the Lord shaws mercie ti us aa.

Prince Yeshu, wha haud aa mankind in feu,
Watch Satan duisnae rive us serfs frae you:
Wi him we's bide nae langer nor we awe.
Guid fellae-men, dinnae ye mock us nou
But pray the Lord shaws mercie ti us aa.

Ballat O The Leddies O Langsyne

frae Villon

Tell me whaur, in whit countrie
Bides Flora nou, yon Roman belle?
Whaur Thais, Alcibiades be,
Thon sibbit cousins. Can ye tell
Whaur cletteran echo draws pell-mell
Abuin some burn owrehung wi bine
Her beautie's mair nor human spell –
Ay, whaur's the snaws o langsyne?

Whaur's Heloise, yon wyce abbess
For wham Pete Abelard manless fell,
Yet lovin aye, at Sanct Denys
Wrocht out his days in cloistrit cell?
And say whaur yon queen is as well
That ordrit Buridan ae dine
Be seckt and cuist in the Seine to cool –
Ay, whaur's the snaws o langsyne?

Queen Blanche, as pure's the flour-de-lys,
Whase voice nae siren's could excel,
Bertha Braidfuit, Beatrice, Alys,
Ermbourg that hent the maine hersel?
Guid Joan of Arc, the lass they tell
The English brunt at Rouen hyne –
Whaur are they, Ledy, I appeal?
Ay, whaur's the snaws o langsyne?

Prince, this week I cannae tell,
Nor this year, whaur they aa nou shine.
Speir, ye's but hear the owrecome swell –
Ay, whaur's the snaws o langsyne?

The Prayer Scrievit for his Mither to Pray Our Leddy

frae Villon

Hevinly leddy, earthly sovereign,
Empress o the ill-reekin bogs o hell,
Receive ye me, your humble Christian,
Whase dearest wish is wi your saunts to dwell,
Maugre that she is little worth hersel.
Mistress, and Leddy, siccan grace as thine
Can faur ootweygh the grettest sin o mine:
Waantan that grace, nae saul can ever see
The haughs o Hevin by merit o its ain:
In this douce faith I willin live and dee.

Tell your Son I hope my saul he'll sain,
That he'll forgie me aa my sins, as weill
As the sins o yon Egyptian were forgien,
Or the sins o Theophil, the scriever chiel
Wha fell intil the fingers o the Deil
Sae that it seemed his saul wes damnit, syne,
Keep, frae sicna weird, this puir auld quine,
O Virgin Mither, pure as maid can be,
Yet bore the Son we name at mass "divine":
In this douce faith I willin live and dee.

A puir carlin I am, forfochen, duin,
And never larnt to scrieve my name nor spell.
But in oor pairish kirk I've often seen
Picters o Hevin, whaur angels harp and mell,
And ithers whaur the sinners byle in hell:
Tane cuist me doun, and tither heich again.
The heich alane, heich Goddess, lat be mine!
Whase lamp o faith maun aye undimmit shine.
In this douce faith I willin live and dee.

Virgin wha bore, maist worthy sovereign,
Yeshu wha hauds owre us ayebydan reign,
Lord o Lords, yet took oor bruckleness on,
Leain Hevin for aa oor sins to dree,
Offerin his skire youth tae daeth and pain:
Nae ither Lord hae we, I'll aye maintain,
And in this faith, willin live, and dee.

A Ballat O Creeshie Meg

frae Villon

Gin I should ser the flonkie I walit oot,
Whit richt hae you to cry me rogue or fuil?
She hes her pairts at bottom, mak nae doot.
For her I ride the ring and bear the bill:
When gents come in, I rin and set the table,
Tapper-tae up wi wine, sweirt to mak a din,
And cairry the breid, fruit, kebbuck, and waater in.
Gin they pey weill, I say til ilk and ane,
"Guid sirs, mind aye, when ye've an edge to grin',
This whureshop whaur, consort and queen we reign".

But whiles my humour rins a coorser gait,
When bedtime comes wi nae coin in the creel.
I glower at her wi a felloun hate
And hent her claithes up, bodice, skirt and girdle,
Ettlan to pawn the lot to pey the meal.
Up she brairds at this wi reird and grane
And bans by Christ, wha saved us aa frae sin,
To see's in hell first, sae I hent up a cane
And flype her dowp, to mind her she is in
My whureshop whaur, consort and queen, we reign.

Peace made, a thunderous fart at me she lets,
Mair venimous nor ony dung-gorged beetle;
Sclims on me and lauchs, my pillie pets,
Her fingers for my middle leggie feel:
Fair fou, we faa, and sleep whaur first we fell.
Her randy quim at dawin channerin, syne,
She mounts me, or the heat o'r lust she tine;
But eftir a rub or twa I girn wi pain,
She suin smoors whit little flame is mine,
In this whureshop whaur, consort and queen, we reign.

Vyaughly ye've made your bed, come rain or shine.
Is nymph wi satyr no a fair deal, syne?
Lecher and whure sould set ilk ither fine,
Like a bad rat wi a bad cat layin.
Ordure we love, and ordure eneuch we hain.
Noo honour flees us, wha frae it were fleein
Til this whureshop whaur, consort and queen we reign.

Villon's Epitaph

Here ligs asleep in a pauper bed
Slauchtert by Eros as fair game,
A puir wee student that tint the haed:
Francis Villon was his name.

Nae ruif had he to caa a hame,
But whit he had he'd aye disperse:
Table and chair, waater and braed.
Cronies, sae owre him this verse:

> Grant his saul ayebydan rest
> In yon clear, supernal licht,
> Whit tho he gaed mair wrang nor richt.
> Cup nor plate he neer possesst.
> Fell bald he wes, baerd, eebrou, chest,
> Bald as a neep, an orra sicht.
> Grant his saul ayebydan rest.

> Exile and the lash opprest
> Him sair, his haill backside wes flayed
> And buteless 'I appeal' he said:
> No owre cryptic a request.
> Grant his saul ayebydan rest.

The Bridegroom

frae Meleager

Nae groom but Daeth it wes in marriage
   The Lady Ellen got.
Hell itsel the queyn unloosed
   And no nae virgin knot.

For but nou the gloamin pipes hae skirled
   Outowre the castle waa
And the doors o the bridal chawmer
   Dang shut abuin the haa,

And lang or dawin the coronach
   Had smoored the minstrelsie
And hymeneals, hushed, gied wey
   Ti sobs o Dule and wae.

The tarry lowes they lit to guide her
   Ti the airms o bliss
Led the wanchancy lassie doun
   Ti the cauld airms o Dis.

The Paschal Candill

In a kirk on Easter e'en,
Led by my love whan midnicht hour was nearand
  The lichts gaed laithlie doun,
  Were dimmit ane by ane,
Till all the fowk in deepest mirk were couerand.

Fire wes brocht in syne
And tapers in the mirk were bylins fleerand,
  And the candill matutine
  Began to reek and shine
Till owre the altar suin its licht wes lourand.

Thon leamand lowe wes seen
Abuin the priest and altar-claith upstandand,
  By callant and by quean,
  Lyart carl and carlin,
And purpour scugs fell back frae all it shone on.

The crucifix abuin
Frae riven feet towards the ruif wes soarand,
  As gif frae human eyen
  Hevinwards it wes ta'en,
The son, wham cherubim were hamewart bearand.

The mirk aye couried round
As gif frae licht alane it teuk its meaning,
  As silence duis frae sound
  Or ocean frae the land
And leid-lore frae the Word in the Beginning.

It brocht intil my mind
The Bride I wad yon nicht, what tho in dreaming,
  And wha, ever sensyne,
  Hes led me by the hand
Throu mid-life's forest whaur nae licht wes leamand.

With her, the Blessed Virgin –
Virgin, yet a woman trod by bearing –
  Smooled intil my ken
  Like some proud bee queen
That's wrocht the wax by whilk the hive is steerand,

As a ship steers by a starn
That midnicht clouds are nou and syne obscurand.
  The risen Lord is born
  Crouned with Adam's thorn,
The fallen fruit back til its tree restorand.

II

In the beginning
Water
In the Beginning
Mirk
And God said:
Lat there be light
Land, divisions,
Day and nicht
And orbs to rule them syne
And starns
And God made
Birds baests fishes
Male and female creatit he them
And vegetation
Flouers gress plants trees
Allthing in due proportion
Naething til excess
No evin creation
For the fire that creates is the fire that consumes
And God saw
(Mary)
That she wes guid
And creatit Eve in her image
As Adam in his
To be
God and Universe
Man and warld
Principle and creation
To be
Love
That moves the sun
And the ither starns.

III

And for men
Made them all in vain.
So again
Water, mirk, obliteration
Noah
Lang lang
As ance God's face
Upon the waters.
And God said:
Nevir again

31

Because of men
Ends this warld in water
To be
Redeemit
To be cleansed
Regeneratit
And set his earnest in the luft
A water-gaw in the air.
But God said naething about fire.

IV

Throu purpour scrub on the reuch and cruel howt,
Serene in thon early, antique licht, the path
Draws on a beardit carle and his ae son.
    Faither, I see we have the faggots, the gear,
    But whaur's the sacrifie?
                    My son, my son,
    The Lord himself a victim will provide,
    Fit for his ain acceptance; the Lord will provide.

On the sands at Cyrenaica
Skull and banes are liggand lowse
Melled with rubble and desert boulders
What ance were men
Nou nocht but objects in the sun.

Sweeland deep in the thairms of the sea
Skull and banes
Gang eddyand throu the mere stanes for aye
Torpedoed bombed
Nae unforeseen catastrophe
But the failure of twa thousant year
To teach what we're here to learn.

British German Russian American lads
Nae reprieve for them
For them nae substitutit ram
Gang doun in ilk ither's airms.

Drinkand the cup their faithers had prepared for them.

    In the gloaming mirk of an orange grove
        I find a man, a man sitting,
    A seemlie man to be a king.
    I askit why he had paining.

O Absalom, my son, my son Absalom,
Wad God I had dee'd for ye!

V

The candill Moses saw,
Wes in a bush that by its licht wes brennand,
   Yet frae it he culd draw
   The pouer that screived the law
And gi'ed a daethless form til Israel's greining.

   Doun throu the bed of the sea we gaed,
   The chariots' thunder in our ears;
   Sae lang uised with being afraid,
   We'd all been lost without our fears.
   But ance outowre the ither side,
   Our leader watched the warrior-cars;
   Streiked his hand abuin the tide,
   And drouned them, horse and warriors.

I ken this fowk
I ken their stiff neck,
Thrawn, readie aye to fling awa
The heirskip wrocht by God and man
Frae mountains, rocks, and desert places,
To slobber owre the feet of a gowden cauf –
Ay, or a gildit yin.

   In the Gorbals
   Scabbit faces in the fog-bound street
   Snaw in the mirk
   And the heir of mysterie
   Clekkand with coolies in the docks
   To be near til mysterie.

O my kintraemen, wha sall ungrave ye, syne?
Wha sall unbury ye?

VI

In Love's house, amang thir mony mansions,
A dennar board is set with fruit and meat,
Gret stoups of wine amang the ashets standand.
Here, till this board, he bids us set and eat,
With the Hostess and her queyns our needs attendand.

Wha of the bidden guests have come til it?

   Ony eenin, ony day,
   Gif ye dander doun this wey,
   Ye'll find the chippie open at sax o'clock
   The milk-bars doun the street
   Whaur whures parade their beat
   Are full of brimmand cups, and gey tuim talk.

This land
A land of mountains burns tarns
Hame of the eagle and the deer
Saumon and trout
The daethless drap of rain
That falls
And rins and feeds ascetic soil
Risand til the luft in the end

> To begin again
> Its cycle of immortalitie.
> Sister, brither, ye wha eat the husks with the pigs
> In the stye ahent the house,
> Think:
> Nae policeman can forbid ye thir delytes
> Nae commissionaire chairge ye entrance here
> Nae hypocrite preacher fill your mouth with stour.

But Love's thochts are no your thochts
My kintramen.

VII

The house hand-quarried, hand-hewn freestane,
Weill-dressed, corner-stane and rubble,
Spaced, planned, frontit, biggit to bide.
Here, ye will find the men that made us, and
The men that unmade us, my fowk, my land,
Wallace, Bruce, Argyll, the saxt King James,
Knox and Melville, Mary that lost her heid...
The glen deep and weill-wuidit, green-rich,
Fertile,
          And throu it the river,
                              the fount,
                                   the fowk

Pollutit by factorie,
Foundrie, coal-mine, sewage,
Lang desertit by its owners
Trout and saumon
Siller otter
The stink on hot days hell-reek, gut-rot,
Hame nou anerlie of rats and flees,
Man-made corruption.

Halcyon, peace-bird, nae mair comes here.
Anerlie the sodger's excrescent bield
Brick guisand as nature.

And gif the fountain's pusioned,
What man sall drink at it?

Bonnie Francis in touerand Assisi
Talkt brither wowf out of his prey;
But wha'll dissuade Pluto's wowfs the-day?

The nordren diver gettand oiled up
Waiting for drag-fuit daeth
Comes trustand til the human hand
Comes as til an elder brither
As the saul in the end til ane and anerlie Healer.

O my kintramen!
Come hame, come hame!

VIII

And til Ezekiel God said:
Command thir banes liggand lowse about the desart
To grouw thegither
Syne, breathe on them.

Out of the stour and glaur
Rase Israel again
Jerusalem comfortit,
Her warfare accomplishit
Iniquitie pardont.

Shadrack, Mesech, and Abednego
(Types of faith and inspiration)
Walkt and talkt with God amang the flames
In what wes ance a Babylon.

In anither kirk I mind
The central ane of Christ's earthlie dominion
I stuid in a fierie wind
And culdna but just stand
As my saul soared upwart on an eagle flight.

Fowk were murland round
And as I stood with all my senses spinnand,
It came intil my mind
That daeth is no the end,
But anerlie our real life's beginning.

There on that halie ground
My body seemed as needless as my reason –
That skeleton of the mind
Made live by the lowand wind
Rouned in my ear its proud and clever treason.

But the mind in its mesh of harns
Is nae judge of the sperit's understanding
  That, simple as a bairn's
  Kens weill for what it greins,
And soars til it with true love's comprehending.

But wha sall walk and talk with God
On the fiery road that pride has made?

IX

Frae Land's End til John o'Groats the road
Streiks braed and heich
And bears upon its back
Daimlers, Standards, Cadillacs, Fords...

Prometheus
(What man hes taken fire frae hevin?)
Sclimmed a fell road up the luft
And brocht us back the atom bomb
God's fire given til monkey men.

Jason
(What man brings gowd frae owre the sea?)
Rackt on the horse-back aers
Throu hell and the Hellespont
To wrang a goddess and stert up fremmit traed.

But doun throu Jerusalem's stourie wynds
See the ae true Traiveller comes
Staicherand under a terebinth beam
(Remember thou art but a man)
Creepand Jesus
Lion of Judah
And up the sheepsguts treck amang the rocks.

  The road of wisdom
  Is nevir owre-thrangit
  And nae machine
  Can traival it
  Can travail it
  Heicher nor Everest
  And a coorser climb
  In a coorser clime

And on the cantle, historie's pinnacle, the peak of the warld,
   The Man
The livand candill with bluid annointit
   Atween twa rievers
Outwaled Guid with guilt associatit

Ancestral sin twined round his bree
   The upstert phallos
   Til love surrendrit
   Messiah nae tyrant
   But a tholand servant

 The pusiont fruit banged back on the Tree for aye!
Till he come again to set the haill warld free.

X

And with the Christ nailed til the cross,
The Cross nailed til the christ.

Aside the stane forenenst the sepulchre
I fand three Maries greitand for their Lord,
Three women for ae man all greitand sair.
The same three sat ablow the mairtyred Word,
Their saft waementing rounand throu the air;
An inconsolable man for a waeful weird.

Eftar Orestes killed the impostor
Coiled upon his Faither's throne,
And with the monster, Clytemnestra,
The mithers drave the lad insane.

Syne Apollo and his sister
(Mitherless born frae the Faither's brain)
Purged him of the unnaitral murder
Brocht him throu ordeal intil his ain.

But they nevir intendit the furies to be lichtlied,
Kennand owre weill the values they upheld;
But anerlie that, tho they yimmit the yett,
They tae suld look mair kindly on the Word.

But hou, sensyne, have Nature and Eve been uised?
Ach, like a lawless love-gotten get!
     In the Behring Straits
      sea lions and otters
      duin near til daeth
      like the auk afore them
      the sable the dodo

whales are in danger
and seals skint alive
til Hevin heeze
their bluid-raw haeds –
and all for a puckle siller.
Whaurevir a cratur
shares food of Nature
monopolised by Man,
(and evin the rabbit
hes the eating habit)
its end is socht
by pusion and gun.
Gleg til exploit
glen and plain
we mak Saharas of our ain –
and nou it seems
the haill earth's mauvert by our godless schemes.

In the day of the owerthrow of castratit wemen
Sevin wemen cam til ane man,
Paintit, pouthert, lipsticked, mascaraed,
Accessible
Til ilka wheepland wind that blaws.
The bed-rock of the human race
(Sookand ice-cream aff a stick?)
Port frae the channel barricadit aff
Love frae his mither's tyrannie freed –
        For the canine coupling in the parks?

In the day of the owerthrow of the sex-object
Seminal spittoon
Sevin wemen cam til ane man and said:
Row back the tombstane frae the womb
And sleep with us, we ask nocht else,
But save us the disgrace of barrenness.

In the citie parks
Whures with nae skirts on ablow their coats
To save time
For the five-bob jerk on the boole of a tree
In Diana's wood nearby
And in rooms that wilt of laneliness,
Unmercatit, professional wemen
Grouw auld in forced disuis
The sign To Let, For Sale, grouwn faint
And nae mair recognisable, the hoose
Crumbland, stale, sclate-lowse, gairden neglectit,
Freehold forbidden

By kirkmen policemen bureaucrats gossips
Whitit sepulchres.

Ae single motor accident
Taks twenty parents frae ten bairns say
The hangman's rape reives a familie of mithers
Justice, Societie, the lunatic logic renderand bairns
Maimed til the umpteenth generation
The warld full of faithers and mithers.

Dochters of Jerusalem
Greitna for me
But greit for yourselves
And for your bairns.

XI

This candill nou sinks doun
Like Icarus or the sun or Phaeton sinkand,
    As the warld did lang syne
    Whan God unlowsed the rain,
Or Pharaoh's cars ablow the swaws returnand.

    Sae it was the Son
Wes doukt in Jordan at his ain gestation
    And this priest here will suin
    Wash awa the sin
Frae the tholers in this Easter congregation.

Dae ye renounce the Tempter and his warks?

We dae renounce them.

Surrender all ye ken for this unkennable?

For saik of the Licht we dree the mirk.

Will ye be made baith clean and haill?

We will be made sae.

A promise is given ye, no a guarantee.

Lat it be sae.

Bairns of the sevin dooles, come forrit here
Intil this kingrik incorruptible
All you waesome thrang of thrawn seik sauls,
Kin of my ane.

Pouer-wod
Betrayed by freedom intil ettland to be God
Lykerous
Escaped frae freedom intil laicher nature

The drunkard leerand in the flash pub's looking-glass
Biggers of insurance babels at noisy corners
All communist preachers wha canna keep your temper
Ye ghouls wha sit on the vaults of warld banks.

Ye and all your gets come forrit here:
Ye whase knuckles sting frae the suddent blow:
You with twin cash-registers for eyen:
All whase noon-day face is puffed with sleep:
The opera-singer splurgeand owre his colleagues:
Chancellors deflectand food-stuffs frae the puir:
Ye wha flee in aeroplanes frae God
Begettand idolatries
Begettand idolaters

All wha think that reason rules the warld
And ye rule reason
Wha mak Jock Thamson, or a leopard, God
Or see the divine in mirrors alane
Or think that God can flatter on a flag-staff,
Inhabit the Ceevil-Service or the City
Lurk amang laboratory stinks
Or be kent til the mind that files the mysteries
Or dresses in a page of historie
And analyses doun til rules of thumb
Idolaters all.

Uor Fader

Ye wha find God in a Chinese prent alane
Or guddland in the parks in lover's arms
Wha see him in the athlete's stilp, guid form,
Or some cathedral's timeless atmosphere
Lost in the labyrinth
With nae Ariadne

Whilk beest i hevin

Wha con the scriptures of the Financial Times
Or see the Messiah in dirty dungarees
Ye wha ken it all throu living it
Or think it can be claucht by pen and ink
Eden-eyed
Utopie-sichtit

Hallowit weird thyn nam

All Christians wha pretend their Kirk's the Kingrik
Pretenders til exemption
Frae the common imperfection

Cum thyn kingrik

All wha refuis to hear juidgement against them
For wham the Day is mirkress and no licht

Be duin thy will

Genius gane mad with social abuis and pride
Scrievers wha wad feed the lambs on lees
Lawyers wha engage in creatand crime
Doctors wha have nae guid health to give
Priests wha turn a deaf ear til the Word
Painters, sculptors, wha look the other wey
Reivers of the puir
Wyters of the rich
Makars lovand words but no the Word

As i hevin, sva po yerd

Corrupters of the fowk
Unhalie pageantrie, come furth

Forleit us uor skaths

sins o daein
sins o owreleukin
freendship lichtliyit
luves betrayit
the young left camsteer
the auld negleckit

As we forleit thame that skath us

scapegoat-makars
pariah-hunters
the neibour-beggars
heirskip-reivers
the snub in the street
the dirk in the wame
the beam-blin mote-pickers
the unco-clever
judgit deemers

For thyn is the kingrik

Sall it burn for aye, this selie licht?
Or is't but a starn-glisk i the nicht?

The candyll swees, the day's at the daw.

The airn yett is gantin. Lat's awa.

The Tryst

eftir San Juan de la Cruz, 1542-91

Upon a midnicht dreary
My sperit wi the lowes o love aleamin
(O ferlie ploy and eerie!)
I gaed, a lover schemin,
While aye my feres were deep in sleep or dreamin.

Sauf frae speiran leerie
I gaed oot by the secret stair, unseemin
(O ferlie ploy and eerie!)
Sauf frae ill-willie deemin,
While aye my feres were deep in sleep or dreamin.

In yon mirk nicht and ferlie,
Siccar my face nae ither's een were seein
Furth I gaed sae early
Nae ither lamplicht haein
Nor the fiery lowes my lovan hert wes dreein.

Their licht my feet were guidin
Suirer nor ony sun o noonday sheenin
Til whaur Ane wes bydin,
For whase presence I wes greinin,
In a garth whase fullyerie oor tryst wes screenin.

O nicht that led me thither!
O nicht mair bonnie nor the dawin thrummin!
O nicht that jyned thegither
The Guidman and guidwoman,
The guidwoman the Guidman swithe becomin!

As bee intil a flouer,
The breist that I for Him Hislane wes keepin
He sank intil His bouer
And there I hent Him sleepin
While zeephurs throu the cedar-trees were creepin.

The breeze o dawin lingers
Abuin the ramparts His dear hair astrawin
While His seraphic fingers
Were on my hause bestawin
A wound that aa my senses were owrethrawin.

In dreamy mude reclinin,
My cheek upon the Guidman's breist reposin,
Aa my cares resignin,
Complete surrender chosen,
Lown amang the lilies I am dozin.

'Cosi nel mio parlar voglio esser aspro...'

eftir Dante

I want ti be as harsklike in my singin
As yon wee queyn ti me is whunstane hertit,
She wha, since we first stertit
Grouws mair coorse and stane-dour ilka minute,
Diamant the dress that's roond her clingin.
And for that, or she's sae gleg depairtit,
There is nae flane is dairtit
Can skart her nakit skin nor billet in it.
She'll murder ye, and there's nae help agin it,
Nae use to hide yoursel frae her fell dingin
That, as gin it tae wes wingan,
Raxes ye and caas doun aa defences:
Bumbazed I thole near reivit o my senses.

Nae tairge I find is ony use against her,
Nae place to hide in frae thon nakit vision,
Her een's faroush invasion
o this touer and keep o my sperit.
My rage and pain as muckle have incensed her
As cobles dae a lown sea's undulation,
And my hell-deep depression
Is sic that there's nae poetry can bear it.
O merciless and agonisan ferret
That guzzles at the life-stream o my bein',
Can you no yet be seean
Hou layer by layer ye eat the hert intil me
Hidan frae my freends whit wae is ill me?

Because there's naethin sets my nerves sae shakin
As haein thocht o her whaur ithers see me,
Ay, and see richt throu me
Inti the fires my hert in dern is dreean.
No evin daeth can get in me sic quakin
Tho, like a hound o love he gnaws intae me,
Mindit on to slay me,
And aa my deeds and thochts are born deean.
The blin bairn's felled my bein'
And hauds the fate o Dido threatnan owre me.
I beg him to empower me
To gang my gait, to leese me on the livin:
But yon's the very thing he'll no be givin.

43

Nou and syne this thrawn, unyieldan tyran
Keepan me spraedeaglit on the heather
Helpless, in a swither,
Owre forfochen, daurs me to be uprisan,
Screams o pain throu aa my hert inspiran.
Backlins rins my bluid syne in a dither,
In a hert's neap-tide weather,
And I'm left bleached as bane frae terror's pyson.
Wi vicious dirk my hert-string he is prisan
Sae that, wi the pain, I gang fair reelin
And gie rein ti my feelin –
"Gin thon het blade he raise again abune me,
Lang or it faas daeth'll hae owretaen me".

Wad that I micht see this same love strikan
Thon sadistic hert that's left mine riven.
Syne daeth, ti which I'm driven
By her white beautie, wad be less mirk til me.
For she, nae less at gloamin nor at greekin
Reivin murderess, sic wounds hes given.
O let ance the stevin
O her hert's howl for me wi greinin fill me,
I'd yell, "haud on, I'm comin tho it kill me!"
And eidently I'd rype aa Hades for her,
Pluck her frae its horror
And in her hair, as in a shawlan river
Lave my brunt hands, syne we wad love forever.

For gin I feel again thon lovely tresses
That hae been cat-o-nine-tails ti me aften,
Or my hert could saften
Nicht nor day I wadna let them leave me:
No to be kind, but as the lioness is
Rivan wi her claws in playfu daffin.
And gin she nou is laughin
To see me lowdert, I'll no let it grieve me
But multiply my vengeance, the een deceive me
I'll burn intae wi mine, that aye are burnan
As my hert's auld fires are turnan,
And gar her feel the lowes that she's lit in me,
Syne slok her burns wi love, tho she's agin me.

Gang, O my poem, gang strecht ti yon woman
That hes my hert incurably sae woundit
And hes its hungry passion sae confoundit
To see gin ye can plant an arrow in her:
For my maist dear revenge wad be to win her.

44

Dante: Inferno

Syne, cairryan back and furth, the tap o it
    As gin it were the tongue itsel that spak,
    Beverit furth a voice that uttert: "When
I took my weygaein frae thon Circe, wha
    Near Gaeta, had abuin a year backheld me,
    Lang or Enie gied the place its name,
Neither browdenan on my son, nor thocht
    For my auld faither, nor yet the aucht love
    That should hae made Penelope sae crouse
Could get the better in me o the yare
    I had for mair experience in life,
    The warld, and ilka human vice and virtue.
Furth I set ance mair upon the swaw
    Wi ae ship but, and thon wee companie
    That hadnae plunkt and left me on mylane.
I saw baith shores as hyne as Spain
    And as Morocco, and the inch Sardinia,
    And ither isles that thon sea synds around.
Me and my compengons were auld and sweirt
    When, in time, we cam ti the nairrae pass
    Whaur Herakles had lang put up his meeths
To hender men frae anterin mair furth.
    On the richt loof, Seville fell ahent,
    And Ceuta on the left wes aareadie gane.
'O brithers,' said I, 'wha hae throu a hunder
    Thousant dangers raxed the wast wi me,
    Ti the last waik, O ti this last jimp waik
O whitever senses aye are left ti ye,
    Dinna stint yoursels experience o
    The fowkless warld that ligs ahent the sun;
Think ye o your athil race and birth:
    You werena meant to live as baests maun live,
    You were born to follow truth and worth.'
Wi this short speak I made my companie
    That yare and aiverin for it, that
    Gin I'd seyed, I couldna hae held them back.
And, swingan round my forestem ti the greikin,
    Wings we made our oars for the skeery flicht.
    And aye we won guid fordel ti the left.
Nicht aareadie saw the ither pole
    Wi aa its starns, and saw sae laich
    That frae the ocean fluir it didna ryse.

Five times had kennlet, quelled and kennlet again,
  The eerie licht that leams doun frae the muin,
  Sen we had first ingane the fashious wey,
When up kythed a mountain there afore us,
  Blear wi hyneness, and it seemed ti me
  The heichest mountain I had ever seen.
We laucht for seil, but suin we laucht bomulloch,
  For frae our new-fund land a storm wes born
  That struck athort the forestem o our ship
And gart her birl three times round wi the swaws,
  And at the fowrth it gart the forestem heeze,
  Syne seg doun in the sea, as wes His will,
Until the ocean gurled abuin our heids."

Sea Dirge: A Mither's Keenin

I found him dround on the rock that nicht
and the wind high. Muinlicht it wes,
and the hungry suckin o the sea at ma feet
streikin awa in front o me.
Never a lover wes laid that nicht on the braes
nor ony livin saul, I'm thinkin, unless they were mad
and drawn to the muin. I found him there
in the rocks that nicht, and the wind wes high.
Bare he wes as the rock and the sea on either side
wi a rag o silk in his hand
and sand in nis nose. Muinlicht it wes
and the sea afore me. Ma hair dragged at ma eyes,
I couldnae see, but a hand o ice wes plunged
deep in ma waim. I found him lyin
dround on the rock that nicht
and the wind wes high. Muinlicht it wes
and the sea sucked at ma feet.
Then I heard frae the cave behind
the skirl o the piper that died on the rocks
the drone o the pipes and the cry o his saul.
I upped and screamed at the wind and the sea,
I stripped forsaken breists to the muin
and I kissed the frost o his mouth and the sand.
I found him dround on the rock that nicht
and the wind high. Muinlicht it wes
and the hungry suckin o the sea at ma feet
and his clammy head in ma breists that were bare
as the rock
          and the sea
               and the sand.

The Ship

I

Sicna ship the warld had never seen.
To link the auld warld ti the brairdan new
We biggit up a haill Pelagian toun
And spared nor men nor lands in makin her.
I cannae tell hou mony thoosant year,
Hou mony million fingers wrocht at her,
Hou mony harns were o their kennin ryped,
As bees' bykes o their hinney, or we gat
This macro-microcosm afloat: say
Aa Europe like a lemon we squeezed oot
And frae her gleggest, clearest spreital juice
Distillit the purest essence for the boat.
Scarce a land nor man but peyed their fee
Ti this gret darg o shouders, airms and harns.
We thocht we'd end Poseidon's timeless reign
And mak the ayebydan ocean aa wir ain.

We took oor toll frae Sumer and frae Crete
And pickit the banes o Babylon and Thebes.
No content, we reived aa we could scran
Frae Sparta, Corinth, Athens, Jerusalem, Rome.
Troy and Carthage gied her maist of aa
For their aa wis whit we gart them gie.
Marathon and Mylae laid her keel,
The plundert wealth o Persia backt the ploy
And Vulcan's smiddy raired baith nicht and day
To smelt the double templates for her sides,
And aa the engine-gear to drive her on
Owre the owre-maistert sea. The gods
Theirsels left aff their loves and feasts and fechts
To come and lend their mair-nor-human pouers
In biggin her; the goddesses pit bye
Their jealousies and lent her grace and beautie,
Even Orpheus left his waement and his lyre,
Forgot his tint Eurydikee awhile,
To lend her some o his rowth o harmonie.
Suin she seemed a gret conspiracie
O men and lesser deities agin
Nature and her Lord, the God o gods.
His creation dwined awa ti nocht
Abees whit godlins, heroes, men, had wrocht.

Aeskylos and Sophokles were baith
Conscriptit for the stagin o the Ship,
And Sokrates and Plato peered through time
To see her form eternal in God's mind.
Alexandros, Aristotle's pupil,
Trampt the Himalayan winepress oot
To gie her his godlike dream o World-dominion:
A cairgae weyghs owre sair on ships at sea.
Sulla and Kaesar syne took up the darg
And strechtent oot some fankles in the plan
That Perikles, in thirty marble years,
Had gien its finest shape afore their time.
Syne their heir Augustus, canny chiel,
Polished up the details till they shone,
And wi the rod o empire skelpt her on.

Frae deserts roun aboot the Dead Sea cam
Baith help and hendrance for the darg afuit,
For there sublimest Ikhnaton had fund
The God o gods encirclit in the Sun,
And persecutit ilka god but Him,
Leavin mankind his dogma o the Ane,
Whit tho war's priests huntit his exiled saul
Through daeth's ayebydan, boundless wilderness.
This ae God, Nile-bred Moses fund
Hidden in a bush that lowed and spoke
His egoistic name: I-AM-THAT-I-AM
(Tell Pharaoh I-AM-THAT-I-AM hath sent you)
And spoke again wi Sinai's rumblan voice
His ten rules for the passengers and crew:
Rules o love that werena to be borne
By worshippers o war in Thebes and Rome.
That raised an issue's never yet been settlit:
Are rules made for men or men for rules?
Wes the Ship biggit for human passengers,
Or they juist human cairgae for the Ship?
Throu yon prophetic years the steir gaed on
And mony a bell-tongued voice in warnin clanged
To mind us we are nocht but dust o God.
To cap it aa, a man-god cam himsel:
A lion – to be nailed on Kaesar's tree:
A lamb – to brek frae Kaesar's tomb.
He reaffirmed the broken rule o love
Embodied in the bluid and glaur o men,
Destroyan nocht, but livan the rulan Word
That, wantin, oor darg wad be in vain.
He preached. We heard. They answered. He wes slain.

Roon aboot Provence grew up a tribe
O bards wha taught the workers hou to sing,
And helpt the Arno Eagle throu the deeps
Ti whaur he saw a different ship frae oors,
The Argo o God's face, pass owre his heid.
The banks o Florence and Venetian trade
Gangstered oot a fause economie
Whase unreal values were to play, it proved,
Nae walk-on pairt in the drama o the Ship,
And croudit oot the Muse's darlin's Hell.
But God, the labour tae they aa pit in
Decoratan aa the Ship saloons!
Donatello's fire that rivalled Vulcan's:
Buonarottti's fingers tipped wi steel.
Angelico and Raphael walked thir streets
That reek the-day wi the burnan words and flesh
O fierce Savonarola. Deck on deck,
Maugre the wars amang the labourers,
The titan rose, the steel Leviathan
Hammered oot by oor Promethean thocht –
By vulture-riven liver sairly bocht.

By this time, tho, the bicker and the strife
There aye had been amang the labourers
Turned open war. Byler-makers
Focht engineers, and they focht riveters;
Painters focht wi plaisterers, and suin
The leaders and the shepherds o the flock
Began to quarrel owre the very plans
For they, it seems, were fell ambiguous
And ilkan ego worthy o the name
Wes shuir that he wes richt, aa ithers wrang.
They wrangled owre procedures, weys o daein,
Hou the fowk suld live that wrocht the Ship,
Whit claithes they'd wear and whit they'd eat,
Until it seemed – *seemed*? Na, till they *did*
Fair forget their duties ti the boat.
Luther, Calvin, Zwingli, and their ilk
Were like yon sodgers say ablow the cross
Playan dice for their redeemer's rags,
Dividan them amang them in the end.
Ti clearer een, they brocht the Ship ti scorn.
Union wes broken, and union-ism born.

In sicna warld the Ship cam ti completion:
Aa real values tint in ostentation.
Food wes brunt ti keep the prices up
While famine wastit millions o the fowk.

Gout and rickets were a twin disease
Rackt the dividit bodie o mankind.
Countries dee'd at some financier's whim:
"Economie" threw faimlies on the street:
"Policie" pit millions oot o darg.
War becam a politeecian's game
For thinnin oot the numbers o the fowk
And findan mercats for the grub and gear
It didnae PEY sae weill to sell at hame.
The times indeed were fairly oot o jynt,
But then the times aye were, aye are, aye will be:
At least until mankind hes come to see
The human race as one communitie.

Never wes kennin gretter, ignorance waur.
We set a cut-purse god owre Calvarie,
Personal profit owre the common weill,
Worshipt the god o liars and o cheats,
Made banks temples ti the king o hell,
The stock exchange his inner citadel.
Robbery and murder were our religion,
Oor ethic buyin cheap and sellin dear,
Oor law the law o animal predation
And sanctified thir crimes wi the name o "Freedom".
In sicna warld we finished aff the Ship,
And as the bairns ance, Moses absent, danced
Aroond the Cauf, roond the Ship we pranced.

II

Never had the warld seen sicna Ship.
Her length wes even langer nor the langest;
Her braedth wes even braeder nor the braedest:
Her hicht wes even heicher nor the heichest:
Her wecht, heavier nor the heaviest.
She had mair decks nor a skyscraper fluirs,
Her screws were giant windmills at the stern,
Her cylinders as big as reservoirs,
Her turbines could hae driven Earth itsel
And she displaced a quarter o the sea.
The haill warld's horse couldna hae matched her pouer,
And as for speed, nae cheetah could ootrun her.
Double-waaed, she had for her defence
Twa-three bottoms decked in her forbye.
She'd steam to gar Vesuvius erupt
And furnaces could keep it aye on fire.
Her hawsers could hae hauled Atlantis up,

Her valves supply the hert o Sol himsel.
Never had sic flanges duin sic couplin,
Never sic rods sic connections made:
Never sic heids crossed on siccan gibs,
Never bolts sae follaed, pumps sae fed,
Never cranks sae shaftit, sic spindles guidit,
Were never siccan heids wi siccan links,
Throws sae threw, nor sniftert siccan rods.
The fittan-oot gaed on for coontless years,
Her trials took some centuries and a bit.
Yet finallie the thing wes fit to sail
And she wes dubbed THE SHIP THAT CANNA SINK
By aa the ballyhooers o the press
And sae selt ti mankind's stoundit een.
The like o sicna Ship wes never seen.

We crewed it wi the best men in the trade,
Skipper, officers and men – a crew
Infallible as wes the Ship itsel –
Syne took on juist as flawless passengers.
Mr. and Mrs. Warld-Steel were there,
Sir James and Lady Banking and Finance;
Universal Metals and her son;
Lord and Lady Congoland (with dogs);
Miss Jo Berg the Rand (without her sire);
The son of Persian Oils with his new fwend;
Miss Dian Connecticut and aunt;
Coal and Light and Housing too were there.
Transcontinental railways paced the decks,
And half the rice in China, hand in hand
Wi positively aa the grapes in Spain,
Hob-nobbed wi twa-fifths Pacific Soap
And melled thegither on the upper decks
Wi umpteen dukes and duchesses o Land,
Totallin aa Europe's revenue
In ony echteen months afore the war.
In fact, as mony interests were there
As whures were at the ball o Kirriemuir.

Ablow the First-class sauls on the upper deck
The middle decks were filled wi middle fowk,
Maistly weill-peyed stooges o the tapmaist:
Lawyers guid at pittan throu shady deals;
Doctors that could chairge great muckle fees
For kiddin the rich their ills are physical;
Accountants dab at cookan up the books;
And whitna ither dow and worthless crooks.

The Steerage held the laichest fowk in Europe,
The puir that were nae bandit bankers, robbers,
Usurious swindlers, capitalist profiteers,
Nor even grabbers o land, wha kent nae wey
Better to serve their god and fellae-men
Nor by producin aa the needfu things,
Biggan hooses, organisan sewage,
Transport, water supplies, cleddin and beddin,
Gettan bairns to replace them when they dee –
The fowk can never aspire to uislessness
Faur less the crime that maks men millionaires.
They of course were the biggest class by faur
But unco different reasons brocht them there:
Whauras the tap were there on pleisure bent,
Business visits, fashion, or to say
That they had gaen the first jaunt on the Ship,
And the middle-class gaed juist to ape the tap,
Or for a rest, or to dodge the law awhile,
The bottom-class o third- and fowrth-rate sauls
Were there because they ettlit ti escape
The hell for them the upper decks had made.
Frae rapit Ireland some were on the run;
Ithers to forget a Midlands slum;
A few frae Glesca, brandit in mind
Wi scabbit ricketty bairns in butcher-shops
Speiran for a pennyworth o scraps;
Some to solve some ghetto's ingrouwn cramps;
Ithers to gie their secret police the slip;
And mony dreamed that owre the baptist sea
They'd find a land whaur life wes *really* free.

For the crew, as I say, they maistlins were the best
Authoritie could find for sicna Ship.
Some were there for their abilitie;
Some because nae better could be got;
And some because in mony years at sea
They'd been befreendit by the kin o fowk
That ken they can demand and easy get
Whit staff they want, ay, even on the Ship,
Because their money rules whit rules the sea.
Some o them were Calvinist engineers
That saw the cosmos as a gret machine
And theirsels, like God, the lord in the machine.
Ithers ettlet juist to dae a job
Whit tho it peyed nae tax ti mysticism,
Scrubban decks or scouran lavatories.
Ithers were the servants o the rich,

A race that toadies for its verra life,
Helpan the rich stray further frae the real:
Makars o cream puffs, sugar cakes, shoeshine boys
Born to kiss the buits they had to bleck:
Fashion's fuitstools, saffron-taintit mirrors
Fit for nocht but furtherin o vice.
Naethin like the best, nor yet the warst,
They lived and dee'd juist middle-men o God.
Let not perdition damn their uisless toil:
Poodles ti Nature are as guid as men,
Whiles preferred ti men – ay, mair,
The spirochete preferred ti Baudelaire.

Bylins she wes set and outward bund,
The brawest Ship oor lot had ever manned,
A thing to let the sea itsel look wee.
No even Noae roamed owre siccan decks
And the Neptune-stoundan Argo never cuist
Sae gleg and fast a sheddae owre the swaw.
Ahab never stumpt on sicna brig
Nor temptit God by siccan arrogance
To demonstrate the pouer o HIS machine
Owre aucht his sillie vassal eer could mak,
And that, whitever worth a guest may boast,
He daurna uis it ti insult the Host.

The passengers had never kent sic ease:
Ankle-deep in cairpets in the First,
The saicont in the airms o strumpet chairs,
And even the inferiors in the Third,
Like Conrad's Chinee cairgae in the hold
Had never kent sic space and luxurie.
The tap-decks lounged and played the days awa:
Breakfast ti deck-tennis, on ti lunch,
Wi teas and coffees served at ony time,
Drink galore, syne dressed to kill,
They snobbed it at the eenin denner tables,
Talked and gushed and walkt the starlit decks,
Played at cairts or roulette, and in wine
Forgot thon ither drink – the bitter brine.

The bitter brine itsel forgot to mind
Whit due respect the warld maun pey the rich,
The gret lords o the dollar and the pound;
Forgot to bou ti arrogance and wealth
Or to petie thir puir craturs o a day
Victimisit by mere time and place.
They couldna see the stars for electric bulbs.

They couldna see the sea for Persian rugs.
They couldna see the ice for seean froth.
They couldna feel the cauld for feelan heat.
The brine gied nae thocht ti priceless dogs,
Jewels, furs, braw nichtgouns, nor boxes
Filled wi stocks and shares and bonds and aa
The business o the rulers o the earth.
It petiedna my leddie's diamond rings,
The therty trunks, big as the Ship's ain bylers,
That held whit claes she needit for the week,
Nor even Omar's priceless poetrie
That shared the hold wi that vulgaritie.

The bitter, bitter brine forgot to mind
But like some vicious beast frae Neptune's den
Crouched, pounced, and wi its cruel claws,
On a nicht as lown and douce as God's mercie,
Clawed a daeth-wound in her creeshy side:
Or Neptune stuck his trident throu her hide.

Whit wes she daein there amang the ice?
Water's ill to navigate when frozen.
Wes she drawn on by some magnetic weird?
Wes the ice drawn by her ain magnetism?
Did nae warnin cry foretell the floe?
Wes God determined to destroy oor darg
As Babel wes destroyed, Gomorrah, Sodom,
As the chariots o Pharaoh were engulfed,
Ay, as Earth itself wes sunk ablow the flude?
It wesna God, it wes oorsels,
Gaen owre faur astray frae the minimum
Observance o the real that sailin needs,
Holed her – as a drunk drives his car
Agin some unoffendin tree, and dees.
We were owre keen to hear the latest news
Frae Wall Street and the Bourse to gie a thocht
Ti onythin as profitless as ice.
Aiblins conscience engineered her doom,
I dinna ken, but ken the double waas
We biggit up to spell Poseidon's daeth
Poseidon's trident gralloched in a braeth.

The fowk on board at first kent little o't.
A brush against some landing-quay, thought one –
But how, when out some hundred miles from land?
Like bumping over pebbles, others thought:

Or did a giant finger stroke the Ship?
Nane kent a greislie surgeon wes at wark
Scoran a wound nae medicine wad heal,
And nearly hauf as lang as her ain keel.

The slain bull, wi steel deep throu his hert,
May staund fair stotious for whit seems an age
Afore he slawlie sinks doun on his knees
And slawlier still keels owre: sae the Ship,
Slain by an ayebydan matador
Stopped in its trecks afore it settled doun.
For lang there wesna ane had ony notion
That the hoose that we had biggit on the sea
Could nae mair staund. Some on the deck
Stravaiged, vaguely speirin. Some
Lay in bed awake. A few
Noticed some tell-tale detail telt *nae* tale:
The mattresses no longer throbbed with the engines,
The wind no longer soughed the porthole through,
The row of ballroom gowns no longer danced,
Bits of broken ice fell to the floor.
Some fowk thocht it wes a "jolly rag"
And snowballed wi the daeth they were to dee.
Ithers in terror couried in their bunks –
Intuitives wha felt the lethal ice
Freezan up aareadie their herts and thairms
Even afore they kent the Ship had struck.
A few got quietly dressed in warmest clothes
To fight for life against the kosmic cold.
Some gat word direct o whit wes whit
By uninvitit visits frae the sea.
The baggage suin wes sooman in the hold,
The post-room floatit unforewarnin letters,
Furnace-men rakit oot the byler fires
And clampit dampers on the double-ends.
As gin by ill-disponit fae informit
By his fifth column in the sleepan Ship
Exactly whaur her ilka weakness lay,
The sea filled water-ticht compairtments up
Wi anaesthetic ocean that, as a lion
On an eland's neck, wad pu her doun
And aa oor aeons' darg, senseless droun.

The maister and the last chief architect
Gaed glegly owre the Ship, and frae their notes
Wrocht oot the facts that rammed their simple faith

And sank it: the unsinkable Ship wes sunk.
Sae a peace that is unbreakable gets broken,
Wars that are untinable are tint,
Wisdom that is fule-proof aye is fuled,
The reason that is sound sounds the abyss,
The truth that wes unfautable wes faus,
The hoose sae stably fundit nou wes foundert.
Aa the darg o coontless thousant years
Had come ti this: Moses and Alexander,
Kaesar and Yeshua, Plato's ideal form
Wreckt on icy appearance, the noble dream
o Christian socialism midwifed by Calvin,
Luther, Zwingli, Knox, wrecked on the bourgeois
Oligarchie o wealth and usurie.
Aa the money saved in aa the banks
Wes uisless nou, aa capital in vain
To wring a haet o profit frae this loss.
Even a Rothschild had nae pouer nou
To save the Interest that water tint,
Nor bran new sauls to issue frae the Mint.

The boats of course could take off only half
The total complement of souls on board.
Whit anes there were were just as ornaments
Or juist to keep up aabodie's morale,
Like gasmasks in a global aerial war.
A Ship that canna sink will need nae boats.
The passengers were told to come on deck,
A mere formality, but to get the rich
Women and children into what boats there were –
Just until the Ship was sound again –
A nuisance, true, but just for safety's sake:
To please *me*, darling, think of the children, dear
Yes all a ghastly bore, of course, I know –
But then the Regulations have it so!

Madam, pit aathing on that ye can wear:
The mirk nicht ye gang out inti is cauld
And caulder still the water ye may end in.
Naethin ye could buy in Montparnasse
Wes fashioned quite for this, sae wear the lot,
Your shifts and knickers, petticoats and stays,
And gin ye hae a coat o polar bear
Pit that on tap, for little else'll dae
In this coorse airt. And wap up weel
The bairns, for nane o them hae been
Conditioned for a nicht oot on the seas
In temperature o twenty-echt degrees.

Forget your jewels and sic fripperies.
Ye'll no be needin them whaur ye'll be gauin.
Aa that's precious nou is life itsel
And life for aa the fowk are dear ti ye.
Leave that box alane, sir, wi its bonds
And stocks and shares, whit tho there be
A billion dollars wapped up in the lot:
Whit maitters nou's the flesh that haps your banes.
Davie Jones's locker'll staw your gains.

Let aa your treisures gang, whiteer they be,
There's room for nocht but life in thir wee boats
And they hae no hauf room eneuch for that.
The purser hes nae time to taigle wi
Your gew-gaws and your trinkets and *your* "ice".
Pit doun your cairts, pit by your chess,
Lock up the pantry, lock up the mess,
The bar abandon, and the lounge,
Never mind whit ye can scrounge,
For aa ye's ever get for aa ye gave
Is freedom o the sea, a staneless grave.

Bylins, ae first rocket streaks the lift
Ti hevin aspiran: slaws;
Falters; stops; and syne it fails
And bursts in a spray o Icarian lichts
That tell aa whit naebody believed:
Her maiden goal's a grave. In earnest,
Fowk look nou ti the boats, tho numb and loth.
Gie up a palace to gang in an open boat?
Is that no daft? Go in a boat?
One does at times do a little boating,
But only at Henley. Is it quite the thing?
And, my dear, how can one bear the *crowd*?
Can't the Third class go? Na,
The yetts are lockt atween them and the boats,
they cannae gang, the boats are for the few
Fittest, meant by Nature to survive –
And hae nae fear, the rabble'll no rebel
Agin their maisters. Some'll slip throu,
The gleg self-preservers, some prevail
Agin authoritie's reluctant serfs,
And chivalrie, a pre-bourgeois code, will save
A haundfu o the wemen and their bairns.
But haill faimlies the class code will droun.
The boats, madam, are not for the lesser orders
But only for you and your children, and if there's room,
Your husband and your dogs. Not leave him?

Lady, Love itself can't save him now
Nor any other gripped in this machine
Law of Nature. God made it, true,
But can't renegue it, even for me and you.

Goodbye, darling, I'll be coming soon.
Ae fond kiss, alas, indeed forever.
Bid your son fareweel, leddy, and sir,
Your darlin blue-eed dochter gie a hug,
For them ye'll see nae mair, I dout,
For them ye'll see nae mair.
And you, my bonnie, dayslang bride, fareweel,
Fareweel the dawn-roused cuddles in the bed,
The kisses that hae brunt inti my saul.
At least my daeth this consolation hes
That I'd as weel be daed as pairt frae thee.
O lass, will ye lue anither as ye did me?

The Moses ben Jehovahs made a steir
That nae survivor's likely to forget.
This auld descendant o the desert god
That damned aa gods and goddesses but Himsel
Jibbed at boardin the boat they led him ti,
But like a man, wad bide wi the ither men.
At this his wife, safe aboard the boat,
Cam oot again and naethin short o force
Wad mak her leave again her husband's side.
To share his eternal bed, they let her byde.

But she wes no the only woman, tho,
That wadna gang. Some were owre feart
And simply wadna believe the Ship wes a grave.
Put to sea in *that*? My dear, you're mad!
Yae beauty wadnae leave withoot her love
And in the queen o cabins, as I hope,
Met her final climax under him.
Ae girl missed the boat by rinnan back
Because she'd left the photae o her lad
And wadna gang withoot it, giean love
The simple, saikless tribute o her life.
Petie the man duin oot o sicna wife.

Yet mony's the man wad sneak in gin he could,
And did, and even rushed the hendmaist boats,
Driven by the imperious will o Pan.
Husband begged for sake o pregnant wife
And wife implored – but implored in vain:
The regulations juist said "men", and men
Faithers, husbands, boys, are aa the same.

58

Some bit lads got by Authoritie,
The martinet that classed them aa as "men",
But only at surrender o their sex
In wemen's claithes: no juist laddies
Either, but the very shipline owner.
He'd tak a chance, like ony profiteer,
But the main chance peyed clearly better here.

Besides God's chosen Anglo-Saxon race
A feck inferi-oreigners were there.
Finns and Swedes, Italians, Spanish, French,
And laichest o the laich, of course, the Erse
That spurned the honour they were duin
O passan as honorary English men.
The cream-puff makars never got awa
For they were neither passengers nor crew,
And furriners forbye, fit only for
The kitchen jobs beneath a Saxon's pride.
But in the engine-room the engineers
Never thocht to gang, but gied their lives
To lessen the catastrophe for some
Few that micht hae some wee chance
Gin there were nae explosions on the Ship
Upendin for her final, dounwart trip.

But wes there no nae ither ship nearbye
To succour oors and save a few mair sauls?
A few mile aff there lay anither boat
Sensibly feart to sail amang the ice,
And as oor Ship sank, she watcht the scene
Wi England's Nelson ee, watched the rockets
Streak the pit-mirk nicht, idly amused
At the jollifications on the unsinkable Ship.
The captain slept, and the wireless operator.
Ilka sign and signal frae the coffin
Aabody aboard this boat misread,
As gin some ill ingyne had decreeit
That nae intelligence should turn aside
The weird that It intendit us to dree
Until its will wes wrocht upon oor kind
And twa-thirds o oor number had gane doun
To feed the crabs – a meal as rare
As caviar ti the Glesca Gorbals puir.

Left on board, a silence fell owre aa.
The boats gane, binna the twa were stuck,
Nocht could keep the mind frae seein nou
The gret grave creepin up to tak

Baith ship and fowk inti its hellish maw
As gin a whale should swallae doun a flee,
The fowk as helpless as Giovanni in
The grip that dragged him screamin doun ti hell,
Or Faust dragged doun by Mephistopheles,
Or Milton's Satan cuist doun the abyss.
Nou's the time when aabody sees clear
Hou helpless is a nakit man agin
The infinite and man-ignoran kosmos
God sae set in motion sae lang syne.
Aa arrogance o earthly riches vain,
Pride o gear, genius, wit, in vain.
Walkin amang thir michty mills o God,
Man, by God's ain will, learns their laws
In labour and in pain, and learns to uis
The laws for his ain ends, mills o his ain,
And smites his chest, and says, "Behold whit I,
Man, the unconquered overlord o fate
By my unaided effort have achieved."
And aa the mills o God grind slowly on,
Indifferent ti his boasts as ti his weird,
Until ae day he slips, the fates conspire
Agin him, aa the mony things that micht
Hae come to save him never come, and he faas,
And aa his technic and machines faa wi him
As merciless realitie grinds wee.
But tho it seems, as nou, malignant fate
Had planned it aa to bring pretention laich,
In truth the kosmos bears nae mair ill-will
Ti man, nor ony intricate device
That helps him live, nor the plou that shares the worm,
Nor the engine driven by mechanical laws
That mangles careless bodies in its jaws.

Nou there's time to realise at last
That daeth's a sentence that kens nae reprieve:
That aa the chances nou hae near rin oot:
That aabody's hauf-conscious belief
In his ain somehou survival, hes played faus:
That daeth, the ayebydan ocean, sall prevail.
Some put on their evening uniform,
Determined to go down like gentlemen.
Bairns are dazed, or whimper, wemen greit
Or get hysterical, distraucht, or mad.
Men prepare theirsels to fecht it oot
Until the last tormentit gasp o time,
Gettin inti lifebelts, warmer claithes,

Or gettan rid o sic impediments
To risk aa on a fast swim ti some boat.
Some sit smokin, some sit playin cairts.
A few cheat fate by forms o suicide.
The band aye plays its ragtime on the decks
Agin the kosmic symphonie o God,
Emphasisan the aff-beat time o men.
Members o the crew work to try and get
The last twa boats awa, some o them
Giean up their place in ither boats.
A single woman paced aboot the deck
Eftir giean ane wi bairns her place,
Bydan to pey the debt o heroism.
And nou that there are nae mair lifeboats here
There come in droves up frae the depths
The Third-class sauls, the aye-to-be-wi-us puir,
The aye-expendable, aye unlucky puir.

Near the end, the jazzy music stopt.
Diviner harmonies were set up syne
As eftir rebellious bairns hae run frae hame
Hunger drives them back again for tea.
It's no nae ragtime rhythm rules the sea.

Byde nae langer, sir, the Ship's a tomb.
And as ti Tiber ance Horatius trustit
Roman life and airms, sae maun ye
Trust Munitions Inc. inti the sea.
Jump faur oot owre the side – O God!
A thousand knives stab throu your ilka pore,
The hert is stoundit, braeth bereft. Skin
Utterly outraged, and the fleggit testes
Swarm up in the pelvis, and the brain
Warstles to recover frae the shock.
Strike oot, strike oot – no, no ti the Ship,
As faur's ye can frae her – yon boat!
Christ, the cat-o-nine-tails o this cauld
Weakens the ablest bicep and the hert
Is thrangan like a doctor danged ti daeth
Amang the casualties o Ypres or Mons.
Even in France's glaur did men ever
Dree sae muckle frae greed and *laissez-faire*?

Like gaean doun a lift-shaft syne she sank
And nature took owre ance again frae Man.
As seamaws clek and clamour roond a sewer
Sae the nicht wes scarred by cries o fowk.
Hauf-filled boats plied on and left them there,

Feart lest rescue work sould cowp the boat.
Sae Christ wes tint for Darwin in the end,
For only yae boat took on aa it could.
The broken unitie o Man and God,
The tint Communitie o the human race
That nicht reaped a nemesis o daeth.
The jungle law killed human dignitie
And raw Nature took us owre again:
Nae ither life sae sacred as your ain.
Some dee'd by the water's first assault:
Ithers lingered on for near an hour.
Twa or three survivit. Booze
Kept some alive, and baccy helped ithers
To thole the frozen aeons in the boats.
Some gaed mad, or rang alarms,
Or raged and rantit at their fellae-fowk
As gin the wreck had been the Ship o Fools.
Some played Captain Oates, and swam awa
To dee whaur they wad least afflict their freends,
While some dragged ither sauls doun wi their ain.
Maist were deid lang or the hour wes up,
For ance mankind is peeled o aa its culture
And its art, the Kosmic cauld suin kills.
Thae that had some bits o wuid and tar
To keep them frae Dame Nature's lethal kiss
Could sit and thole the cross o Nature's cauld
As best they micht, or labour at oars, or ither
Hert-revivan service ti their brither.

Them in the boats were bylins pickit up
And sailed on ither decks ti ither warlds
Leavan ahent, as faur's it can be left,
A warld that dee'd in hollow optimism.
If there'd been boats eneuch for aa the fowk...
If we'd but listent ti the prophecies...
If we'd gane a wee bit further south...
If that bit o ice had no been there...
If the Rules had been mair up ti date...
If a better look-oot had been keepit...
If ithers had gotten there on time...
Ay, *if* we'd juist made her iceberg-proof as weill!
If this, if that, if yon or yon or yon...
But no, inti the kosmic machine we fell
And naebody cam to pu us oot until
Mair nor hauf oor complement were deid.
We sawed the Arctic waaters wi oor seed.

The Third-class bairns o workers dreed the warst,
Their mithers neist, and syne their faithers third.
Neist cam the Saicont-class weans, wemen, men,
And last, the First men, wemen, weans,
Aa revealan Nature's descendan stair
(Binna for a few that broke her laws
Giean up, by Grace, their naitral richts,
Led by the captain – whit else could he dae?
Even a Hitler gaes doun wi his ship),
Her laws o select survival, pouer, drive
By which the anti-social may survive.

III

Whaur will it end afore it ends us aa?
Wi juist as muckle pride, irreverence
And want o sense and harmonie wi God,
Thon ancient "fear o the Lord" that means "respect
For aa the operations o the Real
Throu aa his kosmic, infinite machine",
We follaed up the Ship wi ae gret war,
Learnt nae lesson, sae anither follaed that,
And refusan to learn, a cauld war follaed that.
We stand the-day like a scorpion ringed wi fire
Ready to sting oor racial self ti daeth
Raither nor brek throu the bourgeois creed
Clearly condemned by wyce men as by God
As totally unreal and moribund.
Ither ships we're biggan ti the stars
Ettlan to mak a mercat o the kosmos
Ruled by the profiteer and usurer.
FREEDOM they shout, but SLAVERIE they mean,
No juist for the mony exploitit fowk
But even for the damned exploitan few.
CHRIST, they shout and are lucky their Yeshua
Isna bye wi scourge in hand to answer.
They talk aboot their "way of life" and aa
Historie echoes DAETH, Daeth, daeth.
They rant o values wha nae value ken
That cash registers arena fit to meisure.
They talk o morals and gae on as afore
Corruptan generations and their ain bleck sauls.
Pouer concentrates in fewer hands,
Fascism lost the war and won the peace.
The liberal lie rules the deludit "west"

And hands us owre ti fascist generals.
We pollute the seas, the rivers, lochs, the air
Oor bairns breathe wi mony kinds o foulness,
Material and spreital, the fumes and fall-out
Frae car and lorry, experimental bomb
Surpasst by the shit that drips inti ilka hame
Throu television and twanglin radio;
Double-talk and falsehood rule the land
And Truth is shut in hospital and prison.
God and Nature gie each creature born
The sun and moon for free, the noble Earth,
Yet men are everywhere the slaves o Money,
Their slave, lang become their tyrant,
Tho nou it's nocht but figures o credit in books.
On ilka haund the evidence comes in
Minute by minute demands a change o hert,
An end o Profit and Usurie, a system sane,
Resilient ti human needs and natural law.
Hou lang afore the lesson will be learnt?
Hou lang, O Lord, will we consent to dree
As slaves o "freedom" in sic miserie?

Fergus

I look back doun my centuries o life
    To see the freendly grup
o Pict and Scot when Kenneth and his wife
    Plattit this kingrip up,
And whaur wes desart, gart the gerss grouw green.
    And on Iona's isle
The white monks o Columcill I've seen
    And the santit bard himsel.

Sae mony lives I'd lived and dee'd afore
    Big-heidit Calum brocht
His Celtic-hatan Margaret ti the door
    o the ae hoose we'd wrocht:
Heard Deirdre murn her love, to be unduin
    On Erin's traitor shore:
Seen the saumon that Mungo claucht, like Finn,
    The plaid MacLir ance wore.

Alexander deid, oor ship wreckt on yon sand,
  ·The rule o bairns begun...
Wallace an ae-man fortress, fully manned...
  Bruce the embattled sun...
Strang airms bluid-red on mony a groanan field...
  Berwick a butcherie ...
Mony sic broken and tormentit bield
  There kyths afore my ee.

Upon sic anvils Edward hammered oot
  Oor nationhood and saul,
Seasoned the stentit bow till it could shoot
  Doun meteors as they faa
And gart oor noble dogs come inti heel
  Ahent King Bruce's tairge,
Temperan Scottish spines ti swippert steel
  In his smiddy's brim forge.

A prime king like a rat was stang ti daeth
  And coorsely wes avenged:
His heir by his burst cannon tint his braeth
  And had his throne tae singed.
His again a priest gied his quietus
  By Sauchieburn's field:
The fowrth saw Flodden utterly defeat us:
  The fifth a girl's birth killed.

Hou mony things throu aa thae years I hae been,
  Hou mony trades I kent!
As scholar, merchant, sodger and marine
  I becam acquent
Wi the haill o Europe, say frae Unst ti Kerch,
  Lisbon ti Kazan,
For syne we were as het-fuit on the mairch
  As the hounds o Mananan.

Wi Henrysoun I beikit by the fire
  On dowie winter nichts
And watched the gentry dansan, wi Dunbar,
  Under the palace lichts.
I stilpt aboard the Caravel wi Wood,
  Saw Oslo and Belgrade,
And murned wi Scotland in her sairest mood
  Owre the Flodden daed.

And in sic style oor Reformation cam
　　As weed that chokes the grain.
The unicorn wes chased by a hell-black ram,
　　The garth made a pen.
Hae I no seen frae Solway Firth ti Wick
　　The white wick bewtie brunt?
It wes oor saul they seared at ilka stake,
　　That reekt frae ilka lunt.

O white Sant Aundraes, bien inben your bay,
　　I've seen them stane by stane
Tak doun your braw cathedral on the brae
　　And leave it bare as bane.
On mony a muir and hag I've seen douce men
　　Huntit like the tod,
And murder turn the land a bluid-soaked fen
　　To spread the love o God.

They made his Day a rookery o kirks,
　　His poupit nests o craws
And lowsed on us a herd o lowan stirks
　　Wi iron hoofs and jaws
To trample owre the green and bairgean fields
　　Makan them bogs o sharn,
Imprisonan the fowk inben their bields
　　And reivan ilka barn.

They kaaed doun Woman frae the throne and skies
　　And even frae the chair,
Hapt her bewtie in a dow disguise
　　And sat her on the fluir.
Degradan her, they undermined theirsels
　　Wi casuistic laws
And brutalised their future in the schuils
　　Wi never-idle taws.

Syne a prince cam sailan frae the East
　　To claim a perjured croun
And rackt the Sudron wi a nordren blast
　　Afore his hoose gaed doun.
But he tae by the nobles wes betrayed
　　In sicht o Victorie:
Culloden smoored for aye a broken blade
　　And sent him owre the sea.

The lave's suin telt. Wi Mungo Park I've seen
   The lordly Niger flow;
Wi Murray, Bruce, Mackenzie, I hae been
   In lands o sun and snaw.
Ither fires nor Beltane's lit oor hills
   When Danu's bairns were cleared
And ither lands hae reaped the Celtic skills
   Oor Sudron neibours feared.

I ken the iron forests on the Clyde,
   The bothy bields o Burns;
I've seen the reikan chimneys come to bide,
   The deer amang the ferns;
I've read the secret name o Knox's god –
   The gowd cauf, Gettin-on,
And ranged Newfoundland banks to fish for cod;
   Strippit saumon o their spawn.

In laboratories I hae wrocht aa nicht
   Like Vulcan at his forge,
To bring oor race mair comfort and licht,
   To fecht ilk human scourge.
The warld weill kens hou guid my labours were,
   Hou gret my inventions,
But – the name and race o the labourer
   The warld sendil mentions.

Hou sall aa the fowk I've been e'er meet
   And bide in ae wee hoose?
Knox wi Burns and Mary, Wishart and Beaton
   Aa be snod and crouse?
Campbell and MacDonald be guid feirs,
   The Bruce sup wi Comyn?
By God, I dout afore sic love appears
   Nae man sall kiss a woman!

But ach, auld Fergus nou exaggerates –
   Thir times are aa gane bye.
Scotland's need nou even conciliates
   The warbles and the kye.
O sall this hoose be tenantit again,
   And echo cries o bairns?
Sall we heal up the auld wounds and their pain,
   Bigg mansions oot o cairns?

At The Shrine O The Unkent Sodger

Howkit frae some howe in France, thir banes
Lig here the-day in this pregnant shrine
Heich abuin Embro's traffic, on the castle cleuch –
A sacrifice uphodden to their real god, Mars,
By the pagan worshippers doun there i' the toun.

Wha's aucht him? Whit man and woman felt
In their bed o love, or simple human affection,
The bairn he wes kick at the wame-waa?
Wes he Oors or Theirs? Did he speik the leid
That I speak? Or did the Cockney slang
Ping like bullets frae his lips? Or did
The tongue o Baudelaire, or Holderlin,
Inform the constitution o his body-saul?

Nae maitter. He is Oors and Theirs, he is Man
Suicidit by his ain ill-will, the tongue
He speiks nou is the human tongue that says
The same in Swahili, Japanese or Scots,
And whit it says nae humans need translatit –
WAR IS DAETH.

       This chiel wes like oorsels –
Like? He wes oorsels, the same
Food fed him, the same sun and rain
Nourished the food and warmed and wet him
As dae us, the same knives (or words)
Cut him to the quick, the same human ills
Brocht him under doctor and nurse's care:
The same passions, dreams baith guid and ill,
Torkit his mind and body as we oorsels
Ken owre weill – ay, and the same
Traitorous lies o the same bandit rule
Conscriptit him, for life as for daeth, as dae
Boys owre aa the greed-torn earth this meenit:
And, when he fell, the same bluid as oors
Skailt frae his broken flesh.

       For this
He tholed the lang darg o grouwin up
Atween the first braith and the last, helpless bairnheid
Skelpt throu schuil, the pimply hauflin's pain
And ugsomeness, the crucified sex o youth guddlan
At a lassie's breist or crotch, but aye
Exiled by puirtith frae a man's richt to mairry,
(As a bank's apprentice by Usura's forbid,

Doomed to whures, or sterile masturbation,
To protect *Interest*, the gangsters' X per cent),
Penniless youth that a 21st birthday sets
Loose in a warld where even a public shit
Costs a penny – and a hame a fortune.

But – the last word in condemnation o an
Evil system – War itsel,
Ay, even the pain o daeth itsel, seemed
Like a reprieve frae the economic torture o "peace"
Til mony sicna boy, War for him
The lesser ill – and onywey the goal
His haill societie drunkenly staichert til
Throu crisis upon crisis, slump on slump,
Till war, like some mercy-killer wi a bullet
Clean throu the brain, put the haill crazy system
Oot o its miserie – for War economie
Canna *but* be a sociallie planned economie.

This truth ootlasts it aa, that War,
Wi aa its daeth, its lunatic destruction,
Caas furth frae competitive private greed
Social co-operation eneuch to mak
This ill-uised earth a warld worth livin in.
For a leader in "peace" maun promise vicious men
Profit, profit, profit, or gang doun
Til oblivion – but leaderskip in War
Can offer nocht but "blood, sweat, and tears"
And the same hyenas howl his praise ti the muin!

Aiblins this lad wes a poet, say a man
Born wi that finer sensibilitie nor
The ruck o fowk, the average man or woman –
A five-amp wire set in a ten-amp circuit,
Aye on the point o fusin, but while it lasts,
Charged ti the limit wi electricitie –
For him a bus-ride wad be an Odyssey,
The wild rose a miracle in bloom,
God's Creation revealed in the kingfisher's flash
Alang some burn, the haill material earth,
Aa creatures and their weys, aa land and sea,
Til him's a vast librarie o Life's
Dern lore, tho aften dour the text –
And aa witness o wonder, reverence for life.

Imagine sicna man bodilie hurled
Inti the mad cobra-pit o War,
Thon murderous perversion o the sex
Drive o twa boars for the yae sou!

A poet, priest and prophet o sacred Life,
Saikless o sin, incapable o evil,
Eyes peeled ti the consciousness o evil,
A son o the Creator, torn frae his Faither's darg
And enlistit intil Satan's destructive service,
Learnan in pain "the pity of war, the pity
War distils"!

        Whit war distils
Is horror – petie's distilled by life
In ony circumstances, in ony time;
But, for wickedness fit to raise the scalp,
War is the Lord o Hell's greatest achievement,
God's exact opposite, Dis-Creation,
Dung and dirt hurled in the creator's face.
Imagine the innocent eye, life-reverent,
Fu o the cosmic music, himsel a sang
Sung by the divine Singer, sprawled in Flanders,
Hung by the entrails on a wire, shot
In the kneecap, or bayonettit in the guts,
Skewered, and left hislane in the mud to dee,
Pro Patria, and the "greater glory of God"!

Flanders, did I say? Ay, or bombed in Dresden
By the cultured English and democratic Yanks,
Or torkit by Gestapo, de-natured in Belsen,
Crucified by the Japanese in Burma
To parody Christ, or roastit by napalm
(Wi his wife and bairns) in some Vietnam hut,
To teach him the "American Way of Life",
Or skinned alive in Hiroshima, say
(The Image o God but little improved by that)
Sae that the Yanks are avenged for Pearl Harbour,
And a handfu o scientific ghouls and werewolfs
Can test the products o their sublime IQs,
(Gie Oppenheimer his due, he really thocht
That only TWENTY thousand men, wemen,
Teenagers, bairns, infants wad be cooked alive)
Privileged sae to advance the "cause of science".

I sense ye, Muse, I sense ye here at my side,
Aa faus poesies condemned, whaur lang, lang
I missed ye, queyn, kennan the draucht o your absence.
Sing up, sing up, my angel, oot o the hell
Liberal men hae made o your douce earth,
Cast aff aa singin-robes, aa "art",
And let your singan truth ring loud, loud
As a fire-alarm, as a siren's warnan wail –

70

Fine *we* ken whit sang the sirens sang
In London, Manchester, ay, or failed to sing –
Sing, O my hert's hert's adored true love
Nakit as truth and raw as atomic burns,
Conscience o the conscienceless warld o profit,
And shame mankind wi a sicht o its ain saul
Whaur Satan's enthroned in his Capital kingrik,
Like ony governor o an "international" bank!

II

Arma virumque cano, the haill disease
Frae God kens when til God kens what –
The horror, the cess, the perversion o War,
I sing! But what *is* War?
What is War but Business, the market-place
Exchanged for the battle-field when the hagglers find
Words nae langer swell their ravenous bank-books
And resort ti stronger bargain methods,
Knives and guns and ither gangster weapons.
War is Profit escaped frae the Zoo's ape-house
And at large amang men, like a killer gorilla:
And peace is a dream, life postponit to hereafter,
Till profit is back ahent moral bars,
Man but a comic mirror's image o God,
And freedom (freedom frae DEBT) a cynical joke.
War is religion, the unkillable belief
(The YAE unkillable belief) that Micht is Richt,
That God's aye on the side o the biggest bomb,
The face o Satan leeran doun frae the Cross,
Evil lurkan at the hert o ilka creed,
The All-father's "love me – or I'll lib ye!"
And by "love" he means, "hae nae will but mine".
In this sacred cause, for this jungle idol
Worshipt by the savage human race, Troy
Was razed, Cartago delendit, Rome itsel
Gaed doun under its ain fellae-barbarians.
For this pig o a bastard rogue-god, Life
Hes been desecratit owre the haill earth
Ever since some fruit-pickan Adam
Conceived the concept "mine", and raped and slew
To spread the new gospel among mankind.

Που το περιβλεπτον Καλλος σεο, Δωρι Κορινθε...[*]
Whaur be your garlandit waas, O Corinth o the Dorians,
Whaur your prood touers, whaur your gairnert gear,
Whaur your braw palaces, your kindly coort and board,
Whaur, big-bosomed and bonny, the dochters o Sisyphus
That welcomed the forfairn vaiger, the guidman hame
At the sunset 'oor? Gane wi the sea-spume
Struck by your rock frae the hydrophobic sea,
Gane aa yon glorie, nae rack o't abydes here,
Gane your marble beautie, the berried breists,
The hot mouth open ripe at the kiss.
Heroic men that walked there, the bow-spined,
Fine-teethed, ticht-loined youths
Hard of thrust in love's hetero-encounter,
Are cloven, spilled, skailt by the homo sword,
Destructit by Rome's murderous embrace –
The fell maw o war hes gorgit on aa!
Nane but the Nereids, the sea-fowk, sing here whaur ance
Nymph and Triton carolled and bucked in the swaw,
Here whaur the Acro-Corinth lowered abuin
Love-lauchter o the Dorians whaur the twa seas meet,
The sea-maws keenan your waes by your lang lane shores.

Whaur is your kindly kingrik, Dido, gane?
Gane aa ti cinders, like your ain twa
Owre-easy opent lips, shent like yoursel
By yon spawn-o-war Aeneas's warran spawn,
The ill race Rome rapit the Earth wi
And still duis. Whaur, O Egypt,
The auld wisdom o the Pharaohs, o Ikhnaton
Loved by God but huntit evin through daeth's
Wild wae wasterie by the hounds o War?
Gane as the wind lifts a sparple o sand
Frae atween the Sphinx's sleepan stane paws.
And neither time nor Nasser sall gaither the grains.

O let Thermopylae sleep, the heroic dead
Bury their heroic dead, and tell Life
That here we live obedient ti her commands.
Mylae and Salamis let sleep at last
Sib wi the dodo and mastodon, the auk,
The pterodactyl, ichthyosaur, and ither
Snaws o auld langsyne. But no,
Ane o the heicher apes is oot, at large,
Armed wi aa evil and the atomic bomb
And willna let War sleep, let it rest
Wi aa extinction's tint museum pieces.

------

*Antipater of Sidon

See, see whaur there on the American plain
A peintit savage fits til his stentit bow
A strategic weapon, menaces aa mankind
(Homo Insipiens) wi the fate o the bison!
See, on the Russian Steppes the Tatar horde
Mass round the Mankind Toun, bows bent
To fire atomic arrows at their opposite numbers!
Forever the touers o Troy sall reek and burn,
The dead heroes fill the strait defile,
The woundit gang doun ti feed the crabs,
Dido ascend the funeral pyre in shame,
The Roman spear spit the Cartago bairn
To demonstrate superior cultural pouer
While Man is Man is Man!

O God O Nature O Creative Life,
Whatever God may be at the blin hert
Centred within this deep omniscient mysterie,
Maun aye the outraged womb gang screaman,
Hair in the wind wild, doun streets o pain,
Disgraced by the great demonic Lord o War?
Manchester crumble and London flame for aye,
The beautiful Japanese infant dolls melt
In our intelligence (freed frae the "irrational" hert),
And Nagasaki aye be Hiroshimised?
Sall I, a bard o my fowk, be condemned
For my haill life to wear oor mask o shame –
The shame o human form, fit for aa evil?

It canna be! Aside me I feel
Burns never atomic assure me for aa that
Man ti man owre aa the Earth sall brither be.
Nae dout – but Robert never saw
Noble biggins turnit rubble by man's
Destructive ill-will, haill touns
Murdert by the haill-earth britherheid;
Nor rowed in the glaur o Flanders, burnt in a tank
Besouth Tobruk. Naethin waur
Ever touched his life, in terms o horror,
(Binna the class-war horrors he kent owre weill)
Nor the faur-hyne rumble o the tumbrils, or
The even further guns at Bunker's Hill:
Whit micht he hae said gin he'd seen the like
O Dresden, Stalingrad, or kent the reek
Belched frae Belsen's, no Auld Reikie's, lums?
Scotland's ain bit wars were owre faur hyne,
Bannockburn torn frae a picter-book for bairns,
Flodden a wheen sangs and a mood o keenin,

Culloden's frichtit butcherie neer brocht
The Anglo-Boche culture tramplan doun
Jean and *his* bairns, pit *his* ruif ti the flames
Abuin his trappit faimlie. His faith
Wes mine tae, but that wes afore the bombs:
It fluitters nou but a tattert flag frae my mast.

III

Sae in this unkent sodger liggan here
In his fancy "shrine" in Embro's auld fortress
(Whaur still the obsolete booms ilk day at one)
I see the Son o Adam, native o earth
In aa lands, aa raxes o time –
Greek and Roman, Egyptian, Teuton, Jew,
English, German, Scot, Italian, French,
Russian, American, Gurkha or Japanese –
The Son o Man torn by the claws o War.
Ay, mair, I see in him the human body
Outraged, degradit by the human mind,
God's material gift cast back in his face.
Reverence for Life begins wi the body's life,
The vessel, the hame, the vehicle o Life.

Here wes man's first enormous error,
Acceptance o physical self-destruction
(For wha kills his enemie kills his ain true self)
In pursuit o gear or grund or pouer or ideals,
Or aucht else transgresses THOU SHALT NOT KILL.
Here wes the first mistake, the first day
The first primaeval man destroyed anither,
War wes born. THIS wes the Sin,
This, no sex, wes oor Original Sin
And aa else nocht but an unfauldin:
For wha kills the body will its domicile,
Pit village, toun and city ti the flame,
Fire aa Troy, aa Corinth, Cartago, Rome
And lowse the bomb that melts a Hiroshima.
He that hes nae reverence for the Life
Held by a single human body, will slay
Haill touns and cities, shiploads o men,
Provinces, countries, continents lay waste,
Ay, and the Earth hersel and aa that's on her,
Aa humankind, aa species, phylums, kingdoms,
Aa that is sacred in Divine Creation,
Tho he couldna create as little life as a flie.

The American desert, 1945,
Oppenheimer and Compton and their ilk,
Were giean the final touches ti their "babies",
Ane uranium, tither plutonium atoms.
Baith men were greeit, in the teeth o a majority,
That the bombs had to be dropt, and had advised
The Higher-Ape-in-Chief ti that effect.
Hiroshima wad test the uranium bomb;
Nagasaki wad test the plutonium bomb;
Findins could be compared in this wey
As in nae ither, and the quarter-million Japanese
Roastit by thir Frankensteinian ghouls
Were privileged in thus advancin the cause o "science".
The dangers were that Franck, Szilard and ither yella wets
Micht stey the government's hand afore the day,
Or that the Japs surrender ower suin.
But a bare-faced lie about the physicists'
Majority opinion wad fix the first
And the second wes safe in the "unconditional" clause
That micht hae meant the Emperor dee'd on a gallows:
And aa wes rationalised wi blah aboot savin
A Million American lives, *et cetera, et cetera.*

And wad ye like ti hear a true-born Yankee joke?
Kyoto wes spared as a RELIGIOUS shrine!
O delicate American conscience! O truly
A most delicate, sensitive, twa-faced monster.
Sae the ghouls had their wey, the twin "babes" were born,
The "babies" cried, licht wes seen in their "eyes"
(That's hou they signalled the news – "babies"!)
And the dead walked in Hiroshimasaki,
The eyes o real babies poured doun their cheeks –
But *Civilisation* had been saved by *Science.*

Wha can blame them? The Higher Apes
That sit in government office, or rin a lab,
Are totally unfit to mak moral decisions.
They'll tell ye theirsels it's no their business.
Truman managed to rin a department store.
Oppenheimer wes nocht but a physicist.
Military tykes are nocht but dogs o war.
How the hell can ye look for moral vision
Frae thir puir victims o a passan day?
Sall men reap figs frae cactus-trees?

IV

The same day that the Japanese cities dee'd
An auld man sweatit in the Congo jungle,
Healan the African sick. The swamps
The mangrove waters, breed aakin life,
Spue up mosquitoes, flees, frogs, snakes,
Crocodiles. There the cricket is king,
The fruit-bats flock like craws as the sun sets,
The mamba slithers poisonous through the gress,
Lizards bob orange and purple, green,
Faa frae the ceilins on bare human necks.

Much o this myriad natural life o the Congo
Is antipathetic, even inimical, ti humans,
Yet, ti Schweitzer, physician, musician, philosopher
And man o God, aa this life is sacred.
He avoids the scorpion lest, in stingan him
It kills itsel. The beastie scampers
Safely owre his buit, the malarial mosquito
Feeds undisturbed on his wrist, the errant worm
Washed by the rains onti some lethal pavin
Finds itsel by his gentle haund
Returned ti the soil. The very moths that gaither
Drawn til his midnicht lamp, whaur he sits
Giean the virgin page the thochts o genius,
Find the attractive lowe turned oot, the page
Is abandoned raither nor singe an ephemeral wing.

True, his wark demands that this new St. Francis
Kills the germs that threaten human life –
But only because he asserts his "human bias"
Ti prefer the life o his ain kind, and no
By ony richt o man or God that gies
Men the richt to murder and slay their fellae
Earth-born craturs, muckle less ilk ither,
Nor ony richt to break, ignore or despise
The LAW: AA THAT LIVES IS SACRED,
THOU SHALT NOT KILL. Ay,
This reverence for Life's the herb we pluck
Oot o War's jaws, to heal the wound War is.

But the White House hes nae hot line ti Schweitzer.

V

Come to think o't, whit is aa mankind
But the haufwey hoose atween hevin and hell,
A compromise atween God and Satan?
On the yae hand his Satan-sel hauds up
An atom-bomb agin aa earthly life
Raither nor gie up his damned private profit:
On the ither see the nations race to save
Some boatickie in trouble oot at sea,
Or men risk daeth and waur in fechtan fires,
Mine-explosions, eruptions, tidal waves,
Earthquakes, avalanches or epidemics,
Or fools exposed on extravagant mountain-sides
Or deep in the earth's inthairmit passages.
Here an Oppenheimer plots a bomb
Can render the haill earth a barren waste:
There a Fleming breeds a culture that
Is near a panacea for aa earthly ills.

A ship in distress, a boy on a cliff, a dog
Trapt in some disused mine, can aye caa furth
Ten times the co-operation needit
To save the haill race frae suicide!
Is it no weird, this human antisyzygy?

We'd better learn the earth is nou
But yae wee island in the vast sea o space,
And we're aa on't thegither, lookan oot
On warlds undreamt by vaigers like Columbus,
Ither planets, ither islands in space.
But if aa we could dae wes mak the solar system
The same capitalist hell we've made the earth,
Explode the bomb. The warld's weill rid o's.

VI

The human race is a group o climbers roped
Thegither, aa for ane and ane for aa,
Faced by the problem rock reality is.
That aa nations should survive the climb
The health o ane maun be the care o aa –
There's nae antithesis atween the nations
And the "international" – only the rope
Links the climbers, only the rope is truly
International. The human is singular.

Animal or vegetable, nation-states or persons:
Personal or national but aye individual.
Aa life's the life o single beings,
There's nae sic monster as an "international" man,
Naebody lives in Naewhaur, naebody's land
Someweys atween national boundaries,
Like notes set in the cracks o a piano keyboard.

Therefore the solidarity we need
In face o reality's indifference til us
Is no an "international" nonentity
(Veiled imperialism) but a true
Federal Union o Nations, free and equal,
The least wi the greatest, as aa human sauls,
The idiot and Einstein, are equal afore God.

The "international" is a mixed-man ship –
Fine, gin ye hae the mixmen to man her.
Or, like Swift's phony university,
An island adrift in clouds o deid abstraction
Peopled by screwballs intent on screwball projects:
Sunbeams frae cucumbers, poems frae computers.

But the real britherheid o real men,
The co-operative o real states and peoples
Is something else. This is our primal need,
This is the good city, the longed-for New Jerusalem
Never quite to be reached, nor yet tint sicht o,
The Kingdom Come o Realitie on earth,
The union o God's law and man's will,
The rule o Good, Truth, Beauty, Holiness,
The ultimate triumph o bydan peace on earth,
Aa war discardit, like oor kind's discardit tail.

Daw on, daw on, O day that winna dee,
When man the meek really inherits the earth,
The mirk nicht o the saul issuit at last
Inti thon ayebydan human day,
The promised prince, peace, be hame amang men,
"The pity of war, the pity war distils" nae mair
Trouble ti nightmare the happy dreams o the peoples.

The happy dreams o the peoples? Bingo, fuitbaa,
TV, the Pools, dreams o money for jam,
The wherewithal to sink and rot in riches,
Decline ti flabby degenerates, deep
Sunk in idle profligate hells, in Cannes,
Monaco, Bermuda, Florida, Hawaii or Tahiti,
The filthy Gauguin dream o endless sex

Contaminatan simple bairns wi cash:
Fine I ken the dream, Melville's Typee,
The Blue Lagoon – I'm o the fowk
And in mair idealistic weys I tae
Hae dreamed it, ay, and lived it, mysel:
Binna the grosser, money-grubban side o't.

No. The fowk hae better dreams nor thir,
And some o them are substitutes for war.
Better the fuitbaa field nor the field o battle;
Variety *theatre* scores owre that o war:
International sports are better far
Nor ony war game, and were aa
Conflicts decidit by a fuitbaa, rugger,
Cricket, or whitever league, the haill race
Wad crowd the parks to cheer their national side:
And gin a pow wes broken here and there
The gain in life and human dignity
In "civilisation", wad beat accountancy.

Frae Mount Olympus let the flame rin roond
The haill earth to caa the nations is
Ti Tokyo, Delhi, Fiji, Moscow, London
Or Embro, whitever place the neist World War
Is to be focht by aa the nations' heroes –
A war that brags hou little bluid is skailt
On ilk and every side, whaur aa is focht
In britherheid and love, and the loser says
"I am the enemy you did not kill, my friend".
And "love thine enemies", the impossible, will be trite.

Syne may begin the yae era left
Unkent ti historie – the human era.
Twa men ti yae woman means war
Binna the grace o God intervene –
And God is unco sparin o his Grace.
Twa men ti yae wage means war
(For when we talk o "job" it's "income" we mean)
Whether the grace o God moves in or no.
Therefore we maun see til it that war
Atween lovers is civilised and contained,
Create the likeliest grund for God's grace,
See til it that ilka human born
Hes an equal share by birth o the race's income,
Utterly divorced frae gifts or labour,
Status, rank, position, class, or ither
Source o Satan's fifth column amang men –
Economic inequality.

VII

Let naebody maunder aboot "incentives" –
Aa incentives maun be forever taen
Oot o the economic sphere and pit
Inti the spreital, whaur they aye belang.
Gin ye dinna believe, gie a thocht
Ti the devastatan witness borne by War.
Wes it for pence the touers o Troy were brunt?
That Hector met Achilles by Scamander?
That Rosenberg and Owen skailt their genius?
That young men flocked ti nearly certain daeth
In the Battle o Britain? That Montgomery focht
El Alamein, Rommel his battles, that men
Serve in submarine coffins throu the wars?
That the Vietnam patriots burn alive the-day,
That the Yankee boys that burn them risk their lives?
Broaden the canvas – wes it for pence
Nelson focht Trafalgar, Wellesley Waterloo?
Wolfe Quebec, Sobieski his campaigns?
Och, I dinna deny that profiteers
Exploitit them, and aa men in peace or war,
But *they* didnae, dinnae, never dae the fechtin.
They are the lice, the vampires at men's veins.

Whit moves real men in truth?
"Duty" says Nelson: Napoleon "destiny".
"Honour" says ane, and "glory" anither,
"Fame" says a third, the "praise o men
And love o wemen" says yet anither hero.
Ay, and psychology could name faur mair
Less respectable anes, kinks o the mind.

But this I say, and say, and say't again –
Nae man wad stir a finger for dirt like money
Gin his society didnae force him til't.

And for us Scots the thing wes said for aye
By the Bannockburn victors' letter to the Pope:
"It isnae for glory, riches, nor honours we fecht,
But for Freedom itslane, that nae guid man will tine
Sauf wi his life: and sae lang's a hunder men
Byde alive o us, in nae wey
Sall we gie in til English domination".
And gin a man wad dee for Freedom in War,
Whit wad he no dae to live for it in peace?

There's the evidence brocht by war itsel –
Sae let us nail the lie, for aye, that aa
Men are like the ae-track bourgeoisie
That willnae dae ocht binna there's money in't!

Mebbe this boy here, in his fancy tomb,
Faur mair honourt in daeth nor he wes in life,
And aa the myriads boys he is,
Members ane o anither here in daeth,
Wesnae wastit eftir aa –
Aiblins the unkent sodger liggan here
Is War itsel, and the Systems that ensure it.
Aiblins frae this sair-begrutten ash
Whaur you and I, O enemie my freind,
And aa human boyheid, lig in daeth,
Sall rise, like Yeshu frae yon ither tomb,
Mankind made haill, the Body risen,
Man discrucified, his cross uncrossed,
The Son o man's kingrik come on earth.
And aa the millenial Calvary o war
Be obsolete as crucifixion is,
And never mair outrage the harmonious earth
Wi its destructive discord. Ay,
Frae Carthage, Troy and Hiroshima spring,
As springs aaready frae Jerusalem,
Indeed new heaven, new earth, a new mankind.

Sing up, O beautiful new human race,
Sing up frae Nagasaki's ghastly kiln,
Sing, O mankind, frae Hiroshima's hell,
Sing frae the gas-chambers o man's disgrace –
See I show ye a ferlie to stound your een,
Whaur the furnaces and chambers gant ajee
And Israel's Bairns come singan back til life.
Nae Gabriel's trumpet caas them furth, nocht
But the human voice o poetrie can bring
Back thir daed til this ayebydan life.

See the kimonos rise in razed Japan,
The een rin back up on the babies' cheeks,
The shaddae o a man become the Man,
Dresden rise up in beauty frae her streets,
The daeth camps again be healthy flesh
Broddit by the sacred ankus o love,
The desert skulls and banes rise up and sing,
Rommel and Alexander shake hands,
Aa men owre aa the earth be brithers yet –

Ach, man, pit bye your dreams:
Life to the livin, let the dead bury their dead.

No, but the vision points the only road
Forward frae this recurran cess o War,
Man be at harmony wi brither man
Owre aa the earth, musical law dictate
Our economic systems in ilka land,
Harmonie be king in his harmonious warld
Whaur the gannet nose-dives in the anti-septic wave,
The lark soars til the edge o outer space,
Whaur the eagle smools and the serpent slithers,
And the fish and whale soom in immortal seas
As men and wemen live in ayebydan love.

The sun rises and the sun sets, and aa
The starns maintain their hard integritie
In universal peace ayont aa comprehension,
Their true separateness the guarantee
That atween them sall be harmonie.

The muin rises and the muin sets,
But the muin like the sun and aa ither bodies
Keeps aye her strict integritie and course,
Whitever her visibilitie til us.
Sae fowk, in this coman warld,
Sall aa be entities like starns in space,
Never mair apairt nor when thegither,
Like tones in chords in some gret symphonie –
And life be love as it is meant to be.

The Seavaiger

Maeg ic be me sylfum sothgied wrecan
(translated from the Anglo-Saxon)

A suthfast sang I can sing o my life,
Vaunt o vaigins, hou I vexious tyauvin
In days o sair darg hae dreeit aften.
Bitter the breist-pangs I hae abydit,
Kent abuin keels care-trauchlit wonnins,
Mangset o the mainswaw. Mountit I aft there
Nitheran nichtwauk in the neuk o the forestam
As she nidgit close clifts. Bund by cauld,
My feet were frozen, luckent by frost's
Chill chainies, and there chawed anxieties
Het round my hert, while grypan hunger
Mairdlit my swaw-forfairn mind. Yon man kensna,
Lucky on land, in his life fair crouse,
Hou I on ice-cauld seas, wi icicles hung,
Winter's warst tholit, waesome and exiled.
Whaur hail scoured it I heard but the sea-slap,
Whiles a swan singan on the icy swaw.
The whaup's whilly-loo for company kent I
The gaan's gled blether as the gash o fowk,
Mewin o maws insteid o maut-drinkin.
Storms, dirlan clift-stanes, tirrocks screicht back at
Fair ice-featherit. Fu aft yelled yon sea-earn,
Spume on his wing-spraed. Nae succoran lord
Comfort the hert can in want o its kin.
This he little believes, wha in's life bydes
Sauf in a citie, sonsy and drink-flusht,
Hou I, weary aft, byde my ain on the brinepaths.
Doun comes the dark, snaw drives frae the north,
Frost freezes aa, hail faas on earth syne,
Caldest o corn. Yet for yon nou comes
Thocht ti the hert that I, heich on the saut-wave,
The stramash o the swaw, try my sea-cunnin.
Maens my mind's lust aye to move afaur hyne,
To fare me aye forrit, fremmit land seekin.
There's nae man sae noble, no upon earth,
Sae giftit wi grace, sae gallus in youth,
In deed sae daur-deil, in's lord sae lucky,
That hesnae for sea-farin gey sair a hert whiles,
Onwittan whitever his loaf-giver will him.

His nae hert for harpin, no, nor hainin o gear,
Winnin o wife, nor warldlie pleisures,
Nor ony whit else but the whalm o the whalepath
When the greinin gars him gang furth on the sea.
Let beuch tak blossom, let burgh grouw festive,
Rig braird birsie, the earth-bield wauken –
It aa but minds him, the mood-noble mariner,
Hou the sea sclenters, he thinks syne o vaigin,
On fludeways suin to be farin faur hyne.
Nou cries the cuckoo wi croodlan voice,
Symbol o simmer, yet sorrow bodan,
Bitter ti' the breist. The burgh-man kensna,
Steadie and seilfu, whit the sailor maun thole
As he wanders wide on the weys o exile.
But the hert in my breist aye beats for aa yon,
My saul for the seaflude sair is greinan,
For the rorquhal's realm, to rove me afaur,
To fare wide furth owre the face o the warld.
The skirl o lane sea-maw, scouran and ravenous,
Gars my hert girn to be gane owre the whaleweys,
The swalm o the swaw.

A Dream O The Rude

frae the Anglo-Saxon: for O K Schram

A dream o dreams I'll tell,
That smooled intil my mind while I wes sleepan,
   Juist or midnicht fell,
   And cuist owre me a spell,
When aa mankind ablow the claithes were creepan.

There seemed to come in sicht
A selie tree that in the lift wes leamin,
   Byordinarly bricht
   Of a supernal licht
That fludit the haill carry wi its beamin.

Aa gowden wes the sign
And jewels studdit round the fuit were lowan
   And five o them in line
   I thocht I made out shine
Alang the crossbeam frae the bole outgrowan.

Nae widdae-tree it wes
For the hevinly choirs o angels watched it sheenan
    Throu far futurities;
    And halie presences,
And men, and aa Creation saw it, greinan.

    It lowed wi victorie
And steekt in langsyne waes I saw't upheezan,
    And glorie cled this tree,
    Enrobed it ryallie,
The Cross, frae which the King o kings had risen.

    For aa that, I could see
Throu aa the gowden radiance it wes wearan,
    In warred antiquitie
    Sauls in miserie,
When first wi bluid its richt side stertit pouran.

    Fleggit I wes, and sair
Wi doole, at the noble sicht that I wes seean:
    Saw alternatan there
    Its treisured gowd and vair
Wi duds o gore frae wounds that it wes dreean.

    For lang eneuch I lay
And goved on the Saviour's Rude as on a beacon,
    Until this maikless tree
    Spoke out loud ti me
Thir words that as I tell ye it wes speakan.

    "It happent lang, lang syne
(But fine I mind, as I will aye be mindan),
    When I wes hackit doun
    And frae my ruits uptorn
At the forest-edge whaur I had lang been standan.

    "I wes grupped by pachty faes
And made a dowie show for fowk to stare on:
    And they gart me til upraise
    Their rogues and enemies –
Sic orra chiels I had to be upbearan.

    "Syne on their shouthers men
Bore me til a knowe that wes uprearan,
    Set me up on en'
    Whaur faes withoutin ken
My body ti the grun were fast securan.

"I saw syne Mankind's Lord
Ettlan to scale my hicht, ti me come rinnan:
    Nor could I hae daured
    (For fear o God's ain Word
That sall be, is, and wes in the beginnin),

"Brek, nor bou me doun
Whit tho the round earth's corners I saw tremlan;
    Yit I could hae slain
    My faemen ilk and ane;
But dour I stude abuin them there assemlan.

"My Saviour, God Himsel,
Flung aff his robes and nobly sclimmed upon me
    Fearless, as aa could tell,
    He mountit the gallows fell,
To ransom aa fowk's sauls by deein on me.

"They heezed me up a rude
To bear the Lord, the michty King o Hevin.
    Unvengefu there I stude
    As wi nails as bleck as bluid
Thir wounds as raw as hate throu me were driven.

"The baith o's had to bear
The ill-will o the thrang wes at us jeeran,
    Aa slaistert owre wi gore
    (When his Sperit had gien owre)
That frae the hero's flank untent wes pouran.

"Ay, mony's the wechty doole
I had to thole, there on the knowe uprearan,
    Whaur the Lord o Hosts Himsel
    Yon unco weird befell
Streekt out afore my een the sicht wes searan.

"As wi a sable shroud
The mirk had wapped the licom o the Maister,
    The leaman corse had rowed
    In faulds o thunder-cloud,
The warld sunk under shade as mirk embraced her.

"The haill creation grat
The death o their King o kings aa things bewailan.
    Christ til his cross wes plat
    And there hislane wes quat
Till freends frae faur hied up, owre late availan.

86

"That sicht I had to see
Whit tho my hert wi painfu doole wes swellan,
  Had patiently to dree
  Aa that wes duin ti me,
My micht ablow their hands baith meek and willan.

  "Syne almichty God
They took doun frae the wyte that he wes dreean
  But left me whaur I stude
  Aa steekit in his bluid
And shot throu wi the flanes they had let fleean.

  "Forfairn they laid him doun,
At heid and fuit they goved on their Salvation,
  Standan the Lord abuin
  As He asleep wes lain
Like ane that rests frae unco tribulation.

  "They wrocht His tomb out syne
In sicht o aa wes guilty o his slayin,
  Oot o sklentan stane
  They hewed it, and within
The ruler o aa victories were layan.

  "A coronach they sang,
Thir miserable chiels, as day wes endan,
  Forfochen hame wad gang,
  And the lordly Prince for lang
Wes left there on his lane, gey few attendan.

  "We stude and grat awhile
Until the faemen's clekkin we heard dwinan,
  And the selie corse got caul'.
  Syne they, O waesom doole!
Our mairtyred sauls ablow the mool were tinan.

  "There in the dern I bade
Owre deep for ony human ee to fund me,
  Yit servants o the Lord
  Someweys o me gat word
And aa in gowd and siller syne they bund me.

  "Nou you, my freend, may hear
Hou criminals wrocht me sic degradation:
  And yet, as fowk nou lear,
  The time's aaready here
That the haill earth honours me, aa God's creation.

"On this symbol the Son
Redeemed mankind, sae I rax Hevin in glory,
   And aa that on me lean
   I'm able to mak clean,
Tae mak haill aa that lippan til my story.

   "It aye wes thocht o me
That o aa human wytes I wes the sairest,
   The laithliest to dree;
   But nou aa fowk can see
I've shown mankind the truest wey and rarest.

   "And juist as God decrees
Mary his Mither set abuin aa wemen,
   Sae abuin aa trees
   Your kin sall me upheeze
By Hevin's Kingrik's Keeper's glorious deemin."

Cursus Mundi

for R.L. Matheson

For yae chiel up
There's ten are doun,
And for yae brim cup
There's ten that's toom;
As a miller's wheel
In a mill-race birled
Turns aye abreel,
Sae rowes this world.

Whaur ane hes ten
There's ten got ane
And a hunder men
That hevnae got nane;
Like a bairn's gird
Doun the Cougate dirled,
Wild owre the yird
Skelps on this world.

Thon landrowth man
Frae greed o gear
Gars his brither gan
In want and fear;
For a spadefu o glaur
His saul is nirled:
For better and waur
Sae rowes this world.

The rivers and lochs
Are claimed by Greed
As his proper auchts
Frae the fowk in need;
Ay, the welteran swaw,
Tho snarled and gurled,
He claims an' aa,
And the lave o this world.

Greed maks the law
That creates the crime,
And guid fowk aa
Are daean time;
As a fistfu o sand
In the wind's teeth hurled,
On the punishan hand
Blaws back this world.

Genius and sant
Rage out in pain,
And reformers rant,
But aa in vain;
As a carlin's shawl
Is plained and purled,
Sae o dirt and saul
Plats up this world.

A cuif's preferred
Tae a man o sperit,
And the faithless herd
Til ane o merit;
Like a prize bull
Aa dautit and curled,
The vainest fuil
Wins this world.

Wha shouts maist loud
Is heard the maist,
And wha maks maist gowd
Is deemit the best;
Like an auld duin bell
At a jee yett tirled,
Maugre hevin and hell
Jows on this world.

The glegger the shirker
The bigger his pey,
And the harder the worker
The sairer his wey;

Like a galley-slave
Til a lang-oar thirled,
Owre the buckeran wave
Kaas on this world.

Holy Will
Dreams up a kirk
To set himsel,
A lustie stirk;
Like an unholy tree,
Aa thrawn and knurled,
Throu scrabble and scree
Scoys up this world.

Sae psycho Dicks
Invent disease,
And their stigma sticks
On whaeer they please;
As a haill house faas
By white ants murled,
Thir termites' jaws
Knap doun this world.

Imperialist robbers
Haill nations will,
Wi political jobbers,
For profit, kill;
Like the tattert rag
(On its pole unfurled)
o a perjurit flag
Flotters this world.

Anxieties tak
Their toll o mense,
And on their rack
Ev'n a Burns tint sense;
As a deer in a baize
Owre a muir is whirled
On tapper taes,
Sae flees this world.

And Daeth in the end
Indifferently will
Gravewart send
Baith guid and ill;
Like a deid lament
On the great pipe skirled,
Sic distinction shent,
Sae keens this world.

Scotshire The Grave, 1980

Scotland since the 'forties' war has stirred,
shaken her self-heaped chains, broken the sleep
of quarter a millenium, and seemed
set to free herself from England's grip.
A new self-respect strode the land.

Incredibly, we saw our nationalists
rule not Scotland, but, in part, England,
make the English parties seek their favour,
create a 'British' constitutional crisis,
force a devolution referendum
and when their yes-vote was betrayed in London,
bring the English government crashing down,
albeit like Samson on their own heads.

But now the old defeatism once again
creeps like sleeping sickness in her limbs:
or a rest-time has set in, recuperation
after great effort, a place of marking time,
for two in the English jaw-house battle on.
Yet we've seen, in these last few years,
pride other than pride of self, other
values and goals than the fantasy of money,
known livelier gods than stuffed museum pieces;
seen Bruce and Wallace step down from their niches.

The bravery we've known has not been wasted.

But Scotland still is deep in bourgeois hell,
commercialism's suppurating anus
dropping shit in every living room
through media of popular corruption.
Criminals in government trick the people
and award each other 'honours' for their crimes:
the worse the offence the greater the reward,
but in such things this land is but a part
of the cesspit we miscall the Free World
(free to practice economic crime),
the carrion was western civilisation,
maggots in the holes where once were eyes.

O for a Juvenal to anatomise
the evil we miscall democracy,
that false face financial oligarchy,
conning a gullible people, rules behind.
The Labour Party, cankered to the core
by middle-class careerists at the top

and union-leaders hell-bent on a peerage,
sells out the labourers to the bosses,
to the usurers, bankers, financiers, profiteers,
the Mafia EEC, the vile gang
of mankind-underminers, social vermin.
The Tories, honest rogues who really believe
their wickedness the only good on Earth
(therefore lost to God, beyond redemption),
are dodos destined for complete extinction,
a lost world of surviving dinosaurs.
As for the Liberals, who ought to be
the reigning party to Labour's opposition,
history has played them such a trick
that they're the rump the Tories ought to be:
poor victims of a foul electoral system,
as well as of their capitalist delusions.

These English parties have one thing in common:
incompatibility with Scotland's weal.
They turn her oil over to foreign plunder,
running down her industries, her jobs,
her fisheries and farming, her education
(except her English universities)
huddling all that our bourgeois lands betrayed
the nation for into Scotshire the Grave.
Today an English Tory minority tries
to impose upon a Labour-voting people
policies the opposite of their wants:
this once-free people England's home-bred slaves.

This Scotland is not, as Grieve said, Scotland.

No, it is a county of Great England
('Britain' but a cynical legal fiction)
north of Tweed and stopping south of Faeroe,
let to the highest bidders, who deny
the native folk enjoyment of their own.
Bens of slag and glens of wasteland,
not so much a land of mist as fog –
intellectual, cultural, spiritual fog –
where statesmen sell the people cancerettes,
where seagulls heckle from the city lums,
bushes grow on the broken factory wall,
nettles thrive in auditoriums,
and jails overflow with petty criminals who
mirror the crimes of the great ones at the top.

Our ancient mother Caledonia's now
Scotshire the whore in tartan skirt and knickers
smarming up to every giggling tourist
to make him come his dollars in her crotch.

The air here is never fresh but poisoned
by the filth from irreplaceable stores of oil;
land and river, loch and sea and air
poisoned by the venom of man's greed
in mad pursuit of private, personal gain.
The great lie of Money (credit) still
hoodwinks even the brightest of the people,
a counterfeit god, universally worshipped,
whose temple-banks have crowded out the churches.

Religion here is kept for Sundays only
(not just by canting Sabbatarians)
and locked up in the churches through the week
lest it run wild in the market-place
overturning stalls and booths and barrows,
rioting in superstore check-outs
which only deal in prices, not in values.

The Nazarene was never a greengrocer.

Sport and football mad, the philistine Scot
has little use for the paint-brush or the pen,
his only muse the muse of violence,
the son-murdering father, mad and bad,
lashes and stramples his own young underfoot,
the old boar savaging his own farrow,
the dominie a bairn-assaulting swine.

Power here lacks true authority:
authority is never set in power
where politics is morally corrupt,
economics wilfully amoral,
and moral vision a despised pariah.
How can you give might to goodness here
where evil fills the seats of government,
where the swollen rich inflate to bursting-point
while the poor and the common weal get skinnier still,
both here and in the hungry backward countries,
and Business ransoms the people for their needs?

I could see a Scotland free at last
from Whitehall and the English Treasury,
not to set a Scotshire replica up
but to create the world's first democracy,
a land the people genuinely rule

from the ground up by a team of delegates:
a land where equal incomes is the rule,
incentives all of glory not of wealth,
producing not for profit but for need,
all material things owned by the people,
all commercial rivalry punished by law,
advertising mere true information.
And I would see the country governed by
a government of harmony and of love,
an all-for-one and one-for-all country
mobilised for war on want and evil,
of comradeship in the cause of all Earth's creatures.

Let us lift our eyes up to that sublime
vision of life, the Grampians of the soul.

Johnie Raw Prays For His Lords And Maisters

For England, God, we gie our thanks.
Lang may she protect us Scots
Frae reid-clawed Rooshans and saft-pawed Yanks
And aa thae ither barbarous lots.
Gin we'd a government o wir ain
Whit dangers micht frae them assail us
There's nae sayin, we dinna ken.
Sae be thankit, Lord, for Westminster Palace.

Be thankit, tae, for the MPs in it,
Puir humble dogs wha for our saik
Are flypit wi whups their ilka minute
Like sauls in hell, till their droddums ache.
Tho I've heard ill-farrant tykes declare
They're nocht but a wheen uisless blethers,
A safety-valve to let aff het air,
Yet bless them, Lord, whaur their like foregaithers.

And bless their lords and maisters tae,
Thae cabinet chiels, aa government linkin,
That selflessly baith nicht and day
Relieve thir dogs o the trauchle o thinkin.
They rin the hoose like an Old Boys' club,
And, daily torkit by the Inquisition,
Help mak Decisions, their depairtments' nub,
For gey wee pey and recognition.

And, Lord – I scarce can bring mysel
To mention sic an awesome name –
The Prime Meenister Himsel,
Wha duis aa the wark, gets aa the blame,
Wha wields the lash, brings the pack to heel,
Toots the horn, cries Tally-ho,
Taxes the tod his brush as weel,
Maun be like You, God, here below.

Hou can a man o mortal mak
Bear sic a load, endure sic pain,
Cairry haill empires on his back,
Flee round the warld and hame again?
Ay, and wi great Presses on his skull.
Whit saint achieved sic self-negation?
This blend o Mithra and the buhll,
O bless him, Lord, for the British nation.

And bless our blessed Tories, Lord,
Designed by You for ayebydan rule
By hook or by crook, bribe or sword,
Tho their younger set maun play the fool.
For while land and money rule the free
Few, our bonds will be wider set,
Privilege and birth in harmonie,
O mak thae mighty mightier yet!

But juist as guid (in their ain sichts
And faur be't frae me, Lord, to decry them)
Are our apprentice Labour lichts;
Puir fags, gey sair their seniors try them.
They'll learn in time to forget aboot classes
And obey the financiers, like wyce bairns:
But lord, meantime its hard on the masses
Tinan red meat for redder herrins.

But the masses tae will hae to learn
To forget their wicked socialism
And be content to work and earn
In a state o bolshidemocfascism
Run for them by the muddle class leaders
Trained the Eton and Oxbridge way.
They'll dam weel hae to gie owre, the bleeders,
The dream that producers should be owners tae.

But, Lord, remember abune them aa,
Oor liberal idealist boys,
The darlins o TV, stage and haa,
And circus, and ither popular joys.

Gie them the pouer, and suin ye'll find
There are nae problems left to see:
Aa will dissolve in the liberal mind
Like saccharine in NAAFI tea.

But faur abuin aa, I speir your blessin
On the London Clubs, for as aabody kens,
It's in their premises and messin
Decisions are made, no in lesser dens
Like the Hooses o Commons or the Lords.
I've even heard that You yoursel
Hae been seen foregaitheran at their boards
Wi Your opposite number, the Leader o Hell.

But talk o duty minds me o the cream,
The very curds and whey o Britain:
The Diplomats are whit ithers seem,
And serve on their feet as ithers dae sittin,
Except for lunches, dinners, even
Breakfasts I hear, nou that weemen are in.
The Foreign Office is next door to Hevin
For public schoolboys free frae sin.

But bless abuin aa the Treasurie
As it soars abuin its Whitehall peers
Like Pegasus, in harmonie
Wi aa the faur-aff music o the spheres,
Transmutin their ayebydan law
In an even mair ayebydan nay.
Penny-wise, pound-foolish, aa
Ithers hing in ilk word they say.

And ilka word is genius-pickit
To protect us frae cauld winds o truth
And in white (washed) papers oot is trickit
In prose wad baffle even You, forsooth!
At ilka Easter they celebrate
The rise o Our Budget frae the grave,
And His Very Body demonstrate
For the fowk wha dout He's come to save.

And baith the legal beagle packs
Are dogs, I hear, that've had their day,
For accoontants are better at income tax,
And cheaper by faur in every way.
They dinna rook puir saints and sinners
Wi double fees for advisers and pleaders,
Nor eat their clients at cannibal dinners
In archaic temples, like the legal bleeders.

But talkin o temples, there's the kirk,
God's and Mammon's mairriage bed,
Ministered by eloquent, lowan stirks,
Their treisures in land established,
Like their ideas in feudalism.
But, Lord, it's better, as You weel ken,
To keep them taen up wi the world and schism
Than leein aboot you to gullible men.

Their bishops come and their bishops go,
But the Sees gang on for ever,
And Ceylon can mell wi the Arctic snow
On Lambeth lawn by London's river.
But bless them aa, for whiteer they be,
They'll spoil nae sport in Vanity fair,
For papist or Protestant, established or free,
It's the Tory-Lib-Lab party at prayer.

And at the heid o aa is the Faerie Queen,
Yokin a Knox wi a Canterbury ram,
A gracious star on the movin screen.
Nae ruler she, but the English Mam,
Wife and mither, lovin and fecunt,
Lookin on the bright side, tholan the worst,
Pretendan she's only a modest Secont
And her a Constitutional First.

Bless her, and bless her cuisins tae,
The deuks and rooks and airls and coonts
And aa their honorable progenie.
Whaur wad we be athoot them and their hunts?
Atween them aa they hae mair land
Nor even the Forestry Commission's
Or the Kirk's – and I understand
Their lochs and rivers are their ain pishins.

But, Lord, the skies that roar abuin the land
Are brichter faur wi universal clouds,
Thir universities that aye command
Admiration frae the Hevin-aspirin crowds.
And Oxbridge sails serene abuin them aa
But little changed since Geoffrey Chaucer's day,
Never touchin the grimy earth ava,
As they float on high in their metaphysic way.

Whaur, O Lord, wad our class-system be
But for thae stalwart maisters o the class?
Gone, as in France, in dull equalitie,
Nae fowr degrees rankit abuin the mass.

Our theories in practice wad hae foundert,
The makar owre the talker been upraised:
Conformitie by genius had been soundert,
Mere originalitie ower-praised.

Waterloo wes focht ablow Big Tom,
Trafalgar won and lost upon the Cam.
Wioot Halls there'd been nae atom bomb,
And clockwise port made possible Vietnam.
Whaurever's Love destroyed by Intellect,
Or lesser breeds for notions are napalmed,
The Oxbridge claim to credit can be staked,
And the dead in academic robes embalmed.

Preserve them, lord, and wi them Privilege,
Lest education should be thocht a right,
Or production o persons, no juist minds, engage
The dons in a soul-o-learnin's black night.
'Fewer is better', as Hitler micht hae said,
'And only the few Aryans better still'.
So preserve our Oxbridge, Lord, as it wes made
As the Tory-Lib-Lab party's charm-schuil.

But dinna forget the 'varsities o the masses,
Thir educational slums for low degrees,
Tho little better nor glorifeed evenin classes,
They're fine for brain-washin rebels and geniuses,
And peyin dons frae Oxbridge graduatit,
Critics as guid as ever slew a bard,
Praised mediocritie, got a Pound hatit –
Front-line fighters for the arrière-garde.

Thae puir provincial academics pine,
Entombed alive in heaps o mouldy bricks,
For the higher life maist o them kent langsyne,
Lodged in the Isis-Cam's alma matrix.
Gin it wesnae, Lord, for yon hungry lust for pouer
Maist o them hide ablow an ootward grace,
Few o them wad byde – for be sure
Arrogance lurks ahent their humble face.

It shows itsel in scholarship, ye ken,
The ramstam, slapdash wey they gang at things
Wad fill a lifetime for proper Oxbridge men:
Dependan on whitna pairts a man brings.
There's Dr. Quibble nou been fifteen year
By MacGonagallian problems sairly vexed:
But some o thae new lads believe, I hear,
That a poem is mair important nor the text.

Sic heresies as thir will never dae,
Worship o poems abuin the sacred Text,
Sae I'd ask ye, Lord, to visit dule and wae
On aa put the Muses first, and scholarship next.
Blast them, Lord, wi brimstane and hellfire,
Destroy them, hurl them doun to Hell!
Curse their talents and ill-faured desire!
Mak suir their heretic books will never sell!

Remember, tae, the Fourth Estate,
(No, I dinnae mean the wage-slaves)
The chiels that really educate
The fowk, frae their cradles til their graves –
The Press, God Bless them (and God, You ken
Hou muckle they aa need Your blessin)
And see they learn to lee like honest men,
And no behave like some Muse's messan.

Journalists shouldnae be sae shy
And mimosa-like, ahent their words,
But learn frae their maisters to hae a guid 'I' –
Prent their ain money, mak theirsels lords.
Gin Shakespeare'd been alive the-day,
The Fleet wad hae claimed him, no the Globe,
And owre the Impress he'd held his sway
As the greatest ever xenophobe.

But, Lord, abuin aa bless London city,
Whaur the native London fog is made
To hide frae us sic scenes o pitie
As wad put Dickens in the shade:
For there the gangs o Old School slaves
Toil at the oars o the British galley
And ken nae rest till they reach their graves,
Or faa unduin in some luckless sally.

And Holy God, hae mercy there
On thae puir baests in the Stock Exchange,
The torkit buhll and baitit bear,
The jobber-tykes, fiky wi the mange.
I dinnae ken, but God, I'm suir
Hell itsel hes nae waur to show,
And I wonder You can be sae sair
On sic dumb brutes here below.

For bankers, Lord, as weill I pray:
Puir things, for aa the miracles they enact
Lendin fowk millions they dinnae hae,
Credit by nocht but Confidence backt,

Tho at real eneuch an Interest rate,
Syne gettin peyed whit they didnae lend
Plus Interest – as wealth they create
Ex nihil, money for nothing, in the end.

And yet I've heard it said
That the Bank is England's in nocht but name.
That nae maitter whit decision's made,
Zurich can scupper it juist the same.
'Britons never shall be slaves'
Except til Europe and the IMF.
Britannia aiblins rules the waves,
But her kitchen's ruled by a foreign Chef.

And in ony case, the Lady Pru
And her sisters, promise ti ensure
That even the Bank's mechanical crew
Hae less and less toil til endure.
To keep their auld usurious sway
The banks tak less o stock than bearins
And gang in for Insurance tae,
On pain o lossin half their fairins.

And whit, dear God, wad the heicher proles
Wioot their Buildin Societies dae?
Whaur else wad they get sic generous doles?
At 100%, near gien away!
And yet it's queer sic institutions
Are sae unco laith to show their books:
A body micht think, frae their convolutions,
They were nocht but a pack o spivs and crooks.

But oor financiers mair nor aa
I pray for, Lord, for they maist need it.
They aye risk the farthest faa
And are aye the easiest misleadit.
No juist oor British anes I mean,
But furriners, like wee Aristotle –
A lad o pairts, but fair owregien
I'm telt, til actresses, gamblin and the bottle.

And syne there are oor Corporations,
The Levers, ICI and Shell,
And ither siclike fabrications
Made for the man that buys and sells.
Bless them, Lord, for God they need it
Sae sair they're temptit by the Deil
Whase infernal pouers til them he cedit,
Wi hauf the kingriks o the earth as weill.

100

And bless the lords o income tax
Wha keep us aa frae gettin fat,
Like bloodsuckers on craiturs' backs,
Lampreys, or vampires, and things like that.
We've had nae need since echteen hunder
To pey a leech to bleed us white:
The tax-boys dae't wi faur less blunder,
And wi faur less sting for their bigger bite.

And Lord, bless aa directors tae,
Whether o companie, screen or stage,
Their jaguars, wives and muckle pay,
Thir Round Table knights o the usurie age,
Their country hooses, their public schuil weans,
Their super-tax and heavy drinkin,
Their attackit herts and attackin brains:
For wioot them we'd be lost, I'm thinkin.

Thir Lords and Maisters I declare
Are aa entitlit for to be
Mentioned in a puir man's prayer,
Singly and collectivelie.
Confirm them in their pouer, Lord,
Owre us puir sinners in this tearfu glen,
To rule for aye, by sceptre and sword,
Til your ain glorie, God – Aimen!

Brand the Builder

In memoriam

William Kerr Scott, Catherine Baillie Scott, Greta Scott
Francis David Baillie and Robert Newall Baillie

Johnie Brand's Prologue

Come the sea road up frae the mooth o Eden
The white swaw girnan aye at the bents
Or owre the herrin-ribs o sand roars up,
Channers at yon extravagance o links
Whaur its gulls, whaups and peeweeps channer,
And see the toun rear up upon its cliffs
Gray clanjamfrie o douce hooses, spires
Sprayed wi trees, and wi the Nor' Sea spray,
Red-tiled roofs and russet-dialled nocks
Wi gilden hands, trees as statue still
In gairdens rowth o moss-rose, whitethorn, marigold,
Pinks and peonies, rowan-trees and gowans
Whaur the sang o spink mells wi merle and mavis,
And aye the sea dwynin windilie oot,
A grey wraith o reekie Arctic snaw.

Say it's the spring, and some wee sporty breeze
Is makin free wi the leaves, the young rye,
Wi lassies' frocks. Wi ilkabody's hair
And the first swallows, martins and swifts in the lift,
The saut air melled wi smells o maut, mint
And mignonette, and o new-baked breid and coffee
Throu the auld West Port and alang the Street
Lined wi trees and unpretentious shops,
The scent o intangible blossom here and there.
The toun kirk, no langsyne rebuilt
By Malcolm Brand the builder, is near as auld
They say, as the toun itsel, and its muckle nock
That chimes lah fah sol doh, fah sol lah fah
At ilk hauf-'oor, is no nae common kirk
But a suitable aristokirk o kirks.

102

The Toun Hall carved abuin its porch
Is hard bye, fit for dances, boxin,
Concerts, plays and the darg o cooncillors
Efter the day's caain in o siller
In their bits o shops and ither businesses,
And no faur hyne the Secondary Schuil
Madras College, set in its ain park
Ahent the ruins o a bleck friars' chapel.
East again, St. Mary's, throu its pend
The Charles's oak wi its twa-three fantail doos
Forenenst the Bute wi D'Arcy's braw museum
Rowth o birds, beasts and fish, and ither
Zoological treisures, in drawers, and cases,
And its paintit porch wi the awesome bible quote
"They that go down to the sea in ships and do
Business in the great waters, these men
See the works of the Lord and His wonders in
The mighty deep" sounds an organ chord.

    And yonder, doun by the pends whaur time hes duin
Havoc on the auld toun waas, is Scotland's Shame,
Hame nou for the daws, the doos and the craws,
The jauggy ruins o whit wes in its time
Europe's grandest cathedral, no even York
Milan nor Rheims nor Köln surpassan it –
There oor culture, oor Renaissance fell
And we, Sant Aundraes, aa oor fowk fell wi't!
Ither lands their peerless buildins vaunt
And Scotland her incomparable ruins.
O whit a wound is there for aa to see
Whaur stood aa Scotland's culture shrined in stane:
For wi it's gane oor leids, oor croon, oor state
Oor parliament, oor sauls, aa betrayed
For a puckle English gowd in a few pooches.
Oor sons enslaved ti Babylon-on-Thames.
And aa aroond there stand the silent graves
Bearin mute witness, and St. Rule
Looks owre them aa at the never-carin sea.
Nou there's nocht but murlie bits o touers,
Waas, aisles, arched windaes rearan
Up frae the levelled founds in a Godsyaird
Whaur mony a Getter-on lies six fuit deep
In earthly achievement. There it is the great
Sant-Aundraes ghaists keep their waukrife 'oor
When the houlet haunts the yird wi hoot and screich,
The Gored Monk, the Veiled Nun o the Pends,
Knox and Mary, Chastelard and Beaton,

Hamilton and Wishart, and mony anither
Tortured page o oor tormentit tale:
And, nearby, the War Memorial keeps
Anither tale o ghaists haunt nearer hame,
Jim and Ian and Dip and Tam and Jock
Mak you a hauntit toun indeed for me,
Sant-Aundraes, lyart by your nordren sea.

   The herbour crooks its lang and stany airms
Aboot a hantle o cobles, hauds the sea
At bay, pushes it back at Norroway,
Nae langer a bield o herrin fleets and sic,
Its fisher fowk, crusty's their ain crustacea,
Cleared langsyne inti cooncil hooses
Whaur they cannae even hear the seuch o the swaw,
Like partans, labsteers, strandit by the tide.
And at nicht the Plew, Pleiades and Orion
Keep the coorse they keepit in Bruce's time
Ay, and a million years afore Sant Aundrae
Follaed a chiel in white roond Galilee,
And still will keep a million years frae nou
When I pen thir lines to transcend time.

   "There are no ruined stones" MacDiarmid says
Wha never scabbled corner-stane nor aislar
Nor saw them sweirtlie murle ti ruins here,
The Castle murlan doun into the sea
Stane by stane, but for the mason's art
That patches and 'pairs and shores up for a time
Whit time had else left careless ti decay.
Ruined stanes in pouder faa awa,
And I, wha've warslit hooses oot o stane
Ken nae sadder sicht nor this – to see
Noble buildins, stane by livan stane
Let dee, or murdert, by man's improvidence
Or damned ill-will, be't puritan zeal or bombs.

   Alang the scores, pairts o St. Leonard's schuil
For the dochters o the gentry, or wad-be gentry,
Symbol o class injustice ti the fowk,
Whase darg's "the dung that keeps thir roses sweet",
Bear their witness tae ti the mason's art.
My ain hands are on their waas, my faither's,
Uncle's, grandfaither's abuin them aa
As skeely a man as ever dressed a shawddie,
His wark admired by aa the visitan world
Yet never ance will they hear the craftsman's name,
Tho royaltie's been at its openin,

104

And history will say his wark wes duin
By some chiel that couldna build a shithoose
("This wing was built by Principal So-and-so");
As weill say a pope pentit the Sistine Chapel.

The University itsel – it's no itsel,
First-born o Scotia's bairns by Apollo,
But an anglicisit travesty o itsel
That nae Scot can think o but wi shame,
A feeble Oxbridge imitation geared
For Oxbridge rejects and the English need
For snobbery disguised as "education",
The enemy o aa the term means
And aa a Scots university should be –
A citadel o Scottish culture set
In the centre o a universal view,
Staffed mainly by Scots and ither fowk
Versed in and committit til oor cause:
Sae lang's the hert beats leal and true til us
I carena bye whit racial bluid rins throu't.

It has, or had, its moments I mak nae dout
Wha've seen a galleon sail doun Market Street,
D'Arcy Thompson in his Stetson hat set
Abuin the silvery heid o Zeus himsel,
Gray westcoat suit and white sandshoes
Aiblins a parrot on his shouder, his pooches
Fu o sweeties for bairns, the freckled hands
Under the gowd-linked cuffs great wi givin,
Hands fit for a Michelangelo;
Freddy Stout, frae neck til ankle rowed
In a coat whase green wes mair o age nor art
"Limping" wi ae fuit on, yin aff, the pavement,
Or thankin his wife for the "fine round" o gowf
When the Starter yelled his name to begin the game,
Or turnin up for class in his dressin-goun,
Or turned hame by students wi "no class today, sir".
It ance had Will Dunbar, Bob Fergusson,
Rowed in its matriculation lists,
But that was gey langsyne, and nae Wilkie
Could ever find a place in it the-day
When it serves the dochters o its English maisters
As a place to hunt for possible husbands in.
Its heichest aim, its circle-squarin glory,
Is first-class brains that nanetheless vote Tory.

For the young fowk o the toun there's little choice
When they leave the schuil, but to leave the toun as weill
And seek a livin in the faaen world
Furth o Sant Aundraes, for there's little here
That can employ aucht but the simplest talents
In a wee toun o tradesmen and their ilk,
Shopkeepers, hoteliers and little else.
The ablest o the young maun seek professions
In the big cities – Dundee for some,
But maist land up in Glesca, Edinburgh,
Manchester, London, Canada, Australia
And siclike airts. I mysel hae met
A schuildays' freend doctorin on the Niger.
Whit fowk are left are aa ye need to hae
To service St. Leonards and the 'Varsity
And the aged Aberglaube o retired colonels
Commanders, Indian (or ither) Civil Servants,
A few o them hame to dee whaur they were born
In the toun they were forced to leave when they were young.
Nae wonder it's a toun hauntit by
Nostalgie for a lost and loved Eden
(Even gin the 'Eden' is nocht but a gowf-coorse!)
A toun for bairns and the auld, and gey few atween.

Weel, there it is, the Muckros o the Picts
Lang or Jesus weet his first hippin
And Pictish still is under its veneer
Whit tho its English maisters buy the toun
(At hauf-price), tear up its railway lifeline,
And mak an English enclave o the place
Stinkin stiff wi their scunnersome snobberies.
The Kinness water throu the Lade Braes rins
Mair Scottish nor the bluid in ony veins,
Plays host ti the dipper, kingfisher whiles, or rail,
Curmurmurs native music in its rounin
As mony a nicht ti Margaret and me it sang,
Glad or Jean, as we lay in ilk ither's airms
Amang the gress and bushes learnan love
Gin love it be, yon sex o youth crucified
Wi siller nails upon a crossit cheque,
As it sang langsyne ti centuries o the young
Whase tombstones lang hae been illegible.
Sae it will sing in centuries to come
When the English overlords langsyne hae lain
Wi the Edwards, Yamshyd, or wi Jenghiz Khan.
Kilrymont o the Kinkell Braes will see
Mair historie yet nor's yet been written,

106

And be a bed for ither lovers tae
When Nance and I, and aa thon magic youth,
Live only in this verse that bears in mind
A radiant girl frae Leuchars aa in white
Wi brown wings o hair to match her een,
The simmer earth in flouer, the gairdens bricht
Wi roses white and red, a boy's hert
(No lang escaped frae Glesca's ugsomeness)
Burstan wi (unkent) a troubadour love
That lusted and sang, yet feared to dae or name
The ower-humble love enchantit him.
Yon ferlie days for us can neer return,
The weys lead on, the unforgivin years
Exact their merciless lawin frae us baith.
Yet still in dreams my Eden Primavera
Visits me whiles in girlhood radiance,
And aa Sant-Aundraes is indeed by Eden,
She and I eternal innocence,
Bairns o God afore time wes born,
The haill airt alowe wi a mortal's love
As aft it wes in yon days langsyne gane
When at times my feelin wad owrevault itsel,
Unite wi the fertile body o the place,
Nae girl, in ecstatic orgasm o saul.

  The sea crines aye awa alang the sands
And tint youth crines wi it, crines awa.
Yonder the rocks' lang fingers harp the tide
As aye they've duin, as aye they ever will,
Heron-sprayed amang their slimy weeds,
And in their pools the shrimp-life is strandit,
Partans, poodlies and whitna ither life
Simple as water, savage whiles as war,
Gey like the life that's lived in the toun itsel,
Sant-Aundraes itsel a pool amang the rocks,
A tidal pool left high by the ebban sea,
Wi sic craturs in't as wad dumfouner ye.

Broun the Butcher

The toun was here, Kilrymont, lang afore
Columba's time – ay, ev'n afore, for aa I ken,
The very Picts whase character and lore
Inform true Fifer men
Even the-day. Tak yon butcher, Sandy Broun,
A muckle, bleck and hairy savage
Thunderan helter-skelter through the toun
In yon van o his
Like some callant oot on the gilravage
Eftir queyns – a skeery deil
Bleezan fou ye'd think, insteid o a chiel
Wi twa-three business premises.

See him up at the killin-hoose, hairy airm
Shouder-deep in gore,
Breeks and clogs greasy wi the bluidy glaur
Hunders o killins gie them, bluid o the fairm
He and his brither haud to breed
Aa the cattle and sheep they need
To keep a couple o shops aye thrang wi meat
And customers
(Natives, overlords, and visitors),
Beef, mutton, pork, game, near aa that carnivores eat.
See him there, slashan awa
At the shudderan carcass, swat and steam
Pooran frae baith beast and man,
While bluid and dung thegither stream
Doun the killin-fluir – look closer gin ye can.

And aa for whit?
Yon message-boy in the shop could never say,
Gin ever he thocht aboot it,
As Broun roars orders: "Hi, Chay,
Look slippy, nou,
And tak thir sirloins doun ti yon auld cou
Miss Taybrig on the Scores:
She needs them for her twa Great Danes.
Naa, bide awee, first tak thae banes
Up the stair ti the wife – soup for the denner;
Man, ye'll no ken her
Lyan sucklin the twins like an auld soo!

O, and syne ye can tak this roast
And a pund o tripe doun ti Professor Goast."

Professor Goast

Polyphemus Goast (chair of Cathedrology)
Made no apology
For totting the myriad flaws in Shakspeare up,
From his rather dubious use of "tup"
To "a babbled of green fields", and decreed
The fellow a grossly inflated plagiarist and hack,
With the "gift of the gab", of course, indeed,
But little SOLID LEARNING to back
It with. The Bible, too, is a mass of error
("Virgin" for the original's "nubile girl"!)
Too much paste to every genuine pearl.
His students knew him as The Unholy Terror.

Ay, and weel they micht,
For maugre wrang or richt
Wi nae hesitations
He devoured the lot by generations,
Champed and chawed and sucked them aa
Dry as chalk in his muckle jaw
And spat oot the banes –
Atweel, the biggest anes.

On Scottish literature he scorned to say a word,
And "Burns" for him wes anither name for turd.

It hes been said –
And wha am I to differ wi my betters? –
That as Scotland hes nae locusts, the Deil bade
Goast, in lieu, devour ilk green and tender shoot
The kingrik brairdit, ryve oot
Ilk stalk o originalitie, talent, or genius forbye;
Or onyweys, to hae a guid try.

Ither fowk tell
That Professor Goast is the Deil himsel,
Or his latest successor;
For wesnae Satan the first professor?
But och, I think fowk arenae fair.
They forget he's labour't wi some success,
To hae Sant-Aundraes, auld and grey and bare,
Made inti a kin o Oxbridge-on-Kinness.

"St. Andrews by the northern sea,
A haunted town it is to me..."

And juist to mak suir the hauntin's real
It hes yon authentic Goast in it as weel.

Professor Etienne Swanson

Nae Goast he,
Yon lord o life,
The Professor o Biologie
And uncrowned king o the kingrik o Fife.

See Etienne nou, juist back frae Rome,
At work on the lecture he gies next week
In Copenhagen: raxes doun some larnit tome
Here in his study, intent to seek
"A certain remark,
What was it, hmm... lighten this work
On Numa Pompilius...
Oh, and what was it Kleiber said of the Diplodocus,
About the spinal articulation...
Ah, here – no, too trifling a digression,
More appropriate, I think
For the chairman's address week after next
To the Royal Society...
Yes, here's the text...
Meet Jones afterwards, a drink,
A good dinner... a show perhaps... Variety...?"

Etienne afield on the Isle of May,
The tall beardit god stilpan outowre the cliffs,
Eagle-eed ahent the pince-nez:
Whiles he gliffs
Throu binoculars at, paper-darts in flicht,
Roseate terns, or doun the hunders o feet o rock
(Ye'd grue at the sicht!)
To tak stock o
Guillemots, razorbills, and shags abuin the spray.
Tireless the lang day.

See him tae, at some society denner,
White-haired nou but god-like still,
Flirtan wi the bonniest girl,
Gettin to ken her
And settin the lassie's heid in fair a whirl
Like a pirn mill
At bein sae flaittert aboot her hair
By the maist distinguished
                    (and in hert the youngest)
                                        man there.

"Ah, my dear," Etienne would sigh,
"But you're uncommon easy on the eye."

And suin
He'd hae the doucest queyn fair fidgin fain.

Brand the Builder

On winter days, aboot the gloamin hour,
When the nock on the college touer
Is chappan lowsin-time,
And ilka mason packs his mell and tools awa
Under his banker, and bien forenenst the waa
The labourer haps the lave o the lime
Wi soppan sacks, to keep it frae a frost, or faa
O suddent snaw
Duran the nicht;
When scrawnie craws flap in the shell-green licht
Towards yon bane-bare rickle o trees
That heeze
Up on the knowe abuin the toun,
And the red goun
Is happan mony a student frae the snell nor'easter,
Malcolm Brand, the maister,
Seean the last hand through the yett
Afore he bars and padlocks it,
Taks yae look aroond his stourie yaird
Whaur chunks o stane are liggin
Like the ruins o some auld-farrant biggin;
Picks a skelf oot o his baerd,
Scliffs his tacketty buits, and syne
Clunters hamelins doun the wyn'.

Doun by the sea
Murns the white swaw owre the wrack ayebydanlie.

The main street echoes back his fuitfaas
Frae its waas
Whaur owre the kerb and causeys, yellow licht
Presses back the mirk nicht
As shop fronts flude the pavin-stanes in places
Like the pentit faces whures pit on, or actresses,
To please their different customers.

Aye the nordren nicht, cauld as rumour
Taks command,
Chills the toun wi his militarie humour,
And plots his map o starns wi felloun hand.

Alang the shore
The greinan white sea-stallions champ and snore.

Stoopin through the anvil pend
Gaes Brand,
 nd owre the coort wi the twa-three partan-creels,

111

The birss air fu
O the smell o the sea, and fish, and meltit glue;
Draws up at his door, and syne
Hawkan his craig afore he gangs in ben,
Gies a bit scart at the grater wi his heels.

The kail-pat on the hob is hotteran fu
Wi the usual hash o Irish stew,
And by the grate, a red-haired beauty frettit thin,
His wife is kaain a spurtle roond.
He swaps his buits for his baffies but a soond.

The twa-three bairns ken to mak nae din
When faither's in,
And sit on creepies roond aboot.
Brand gies a muckle yawn
And howks his paper oot.

Tither side the fire
The kettle hums and mews like a telephone wire.

  "Lord, for what we are about to receive
  Help us to be truly thankful – Aimen;
  Woman ye've pit ingans in't again!"

  "Gae wa, ye coorse auld hypocrite,
  Thank the Lord for your meat syne grue at it!"

Wi chowks drawn ticht in a speakless sconner
He glowers on her,
Syne on the quate and strecht-faced bairns:
Faulds his paper doun aside his eatin-airns
And, til the loud tick-tockin o the nock
Sups, and reads wi nae other word nor look.

The warld ootside
Like a lug-held seashell, sings wi the rinnan tide.

The supper owre, Brand redds up for the nicht,
Aiblins there's a schedule for to price
Or somethin nice
On at the picters – secont hoose –
Or some poleetical meetin wants his licht,
Or aiblins, wi him t-total aa his life
And no able to seek a pub for relief frae the wife,
Daunders oot the West Sands "on the loose".
Whitever tis,
The waater slorps frae his elbucks as he synds his phiz.

And this is aa the life he kens there is?"

Brand Soliloquises

No a bad nicht for December, nae wind,
A puckle stars sklentan throu wispy cloud.
The muin someweys ahent yon bank o it
Abuin the horizon, yet cauld eneuch for snaw.

Ah weel, fine to get awa on the loose for a bit
Frae the bairns, and Elsie's tongue. Ye can hear
Yersel think, listen ti thochts o your ain out here.
Doun North Street and the Braeheid ti the herbour.
Herbour? Faith, it's that in little but name,
The fishin lang deid, the fisher-fowk gane
Binna for twa-three labsteer-creelers clingan
Barnacle-like ti the auld weys; inbred,
Ingrouwn, no fit for change. Their slums
Lang abandont here roond the herbour, their new
Council hooses – they were gled o the bath
For keepan the partans and labsteers in. Huh!
Them and their claws, their haill warld ranges
Frae the red o the partan ti bylte labsteer red!
"Wha caaed thee partan-faced, ma wee lamb,"
Jeannie the Lip said ti her greetan bairn,
"And thee wi as bonnie a face as a labsteer?"
Fine neebour Jeanie for Professor Swanson,
Famous biologist – whit a toun!

Atweel, that's little adae wi Malcolm Brand.
You're concerned wi stane and whit can be made wi't.
And that reminds ye, ye'll hae to price that job for
MacColl – ach, ti hell, gie wark a rest
And gie a thocht the nou til ither things.

Alang the bents here the girnan swaw
White on the shore, the aa-thegither sighs o the damned,
Or the haill warld's greinin owre the wrangs o this age,
This Age O Horror. Thon poet-chap
At the Keep-Left Club the ither nicht, whit wes't
They caaed him, telt hou he saw the shirt
Returned by the Fascists til a deid man's widae
Wi bits o his skin aye stack on't, puir tortured chiel.
Your haill life somehou's been a jaunt
Like yon Italian Dante's, aye deeper in hell.
Ye were juist a bairn in the Boer War time,
Ye served yersel in the first Great War,
And again, altho at hame, in the secont yin,
It that endit wi the bomb on Nagasaki.
Sinsyne Horror's been your daily breid –

Korea, Tibet, Vietnam, Palestine,
Nagaland, Angola, the Congo, Haiti,
Hungary and ither communist crimes;
And nou this genocide in Ibo Biafra.
A war wes focht cost fifty million lives
And mair, to end the fascist tyrannies,
But the Beast still rules Portugal and Spain;
Hes juist devourit Greece; is in France itsel,
Ay, and here in Britain, in Scotland even,
The hydra heids are rearan up again.

     Some life for a man wad gie near aa
For juist a bit peace. Your haill life
Hes been a builder's life, first in Glescae
Buildan ships on the Clyde, and syne, eftir
The slump in 'thirty-wan, hooses here.
Ships and hooses, that hes been your life,
The twa things an island fowk maist need.
Whiles a bit destruction hes to be,
Juist to clear the site for better hooses,
But maistly it is aa a givin, an addin
Life til life, hooses for fowk to live in,
Ships to connect lives owre the inhuman sea.
The greatest horror o them aa, for you, wes when
Ye saw braw buildins, haill streets o them, turnt
Til reekan rubble in a single nicht o bombs:
Bombs nou as obsolete as arrows.
Ye felt somethin shudder inside ye, man,
As if your haill faith was bomb-battert,
And sae in a wey it wes, for tho ye gang on
Buildin awa (it's your job) it's no the same;
Nocht can ever be the same eftir ye've seen
Sic a demonstration o the ill in the herts o men.

     And whit an ill. Only this mornin
Ye read in the paper o hou a new-born bairn
Wes woundit by shrapnel frae a Nigerian bomb
(An English bomb, mair like) in a Red Cross Hospital,
Fair hansel inti human life, my bairn!
There's no a thing sae utterly outrageous and vile,
Sae disgracefu and blasphemous ti God and Man,
But some o our lot someweys on the earth
Are daean it ti their born fellae-men.
The thocht's eneuch to gar ye grue, I ken.

Fine life, it's been, a progress inti pain,
Wi final extinction hingan owre yer heid,
No juist the daeth o an auld man like you,
But the haill race, aiblins aa earthly life.
Whaur will it end? Will we ever learn?
Or will whitever Pouer creatit the warld
Write us aff as a great experiment
In creature-autonomy that failed in sicht o success?
For think o't, never hes ony creature, kent
In the historie o this planet at least,
Achieved sic marvels: hert-transplants,
Rockets ti the muin and Venus, camps on the sea-bed,
Air-flights faster nor sound – man,
It maks miracles look like pairty-tricks,
But aye at the centre there's the auld serpent,
The problem o Evil rins through aa our life.
Man can be defined no juist as the beast
Giftit wi speech, nor as social animal,
Nor aucht but the beast that can choose suicide.
That is the crucial choice o guid or ill
Will finallie decide our destinie.

Funny life, frae the horse-drawn cars in Glescae
Ti space-ships and nuclear submarines.
Weird hou men maun aye be makin war
Insteid o things they need. Invent
Somethin, and the first thing governments think o
Is hou to turn it inti a weapon o war.
Mebbe it's juist some instinct in mankind
Geared for the self-destruction o the race,
As the scorpion stings itsel when ringed wi fire,
Some fatal aggression in the animal male.
Or is it, as Professor Markson said
At the Keep-Left Club the ither nicht, nae mair
Nor the Capitalist system's nature workin oot,
Settin man agin man in pursuit o Profit,
Makin a human jungle oot o life
And monsters oot o normal peaceable men?
But gin the Polynesian's your naitral man
It's no Nature that maks the civilised killers.
Markson's richt, and capitalism's the cause,
Or the patriarchal rules o aa societie.
Like yon Chaplin film, Monsieur Verdoux,
Whaur the hero is a decent faimlie man
But maks his livin by murderin wealthy wemen:
That, suirly, is Capitalism in a nutshell.
It's no that fowk are aa that bad by nature,

But an ill wey o life forces them to conform,
Thrawan their ain better sels for a wage.
You tae, wi your wee bit Profit frae your ain
Wee bit business, tho ye work wi your men yersel,
And that at an age when mony wad retire –
And sae wad you, gin ye could afford it.

Ay, and Markson's richt, tho you yersel,
An auld-farrant I-L-P-er, cannae swallow
Aa thon intellectual communist stuff:
It's owre inhuman – and owre simple.
Ye dinnae believe in thir intellectuals plottin
To get intil the Marxist hevin on a worker's ticket –
Ay, and rule the roast ance they've got there.
Let the workers mak their ain paradises:
They'll be, I lay ye, a damn sicht mair human.

You amang sic fowk, God, it's rich!
Professors o this and lecturers o thon,
Teachers an students, and in amang them aa
Yersel and Jimmy Skinner, the toun scaffie!
It couldnae happen in ony toun but this.
Whit then, a man can hae his thochts altho
He's never had a college edication.
Ye cannae bring oot whit isnae aaready there,
And gin it's there, it'll surely find its wey.
Wad Burns hae been ony better gin the Embro gentry
Had gien him a place, as they certainly suid hae duin,
Amang the lesser men o the universitie,
Wi the chance to educate his intellects,
While giean ithers the benefit o his gifts?
Wad he hell – he'd 'a been corruptit,
Reduced ti their ain gey laicher level.
They even telt him he'd better write in English!
Doctor Davies, thon Welsh science teacher
Ye biggit the hoose til oot the West Road,
Telt ye, "Brand, I've never seen in my life
So natural a mathematical bent."
Ye dinnae ken whit he means, really, for you
Juist tak the quickest wey to work things oot,
Ye need nae teachin – it's common sense.

Still, mither wad scarcely ken you thir days,
Chief wi gentlemen, God, and scholars and aa,
Or the age ye live in. Lang time nou
Since the early days roond Anderston Cross,
A butt and a ben in a mirk staircase up
A tenement lang syne declarit a slum.

116

The gentlemanly nebs wad tak't gey ill, I dout,
And mither, widaed wi fowr bairns under nine,
Washan stairs and the like to keep the faimly
Aye thegither (and her a skipper's dochter
Oot o Argyll), wi a wee bit Parish Relief
To help her oot: and when you were eleven
And left the schuil to work in a yaird on the Clyde,
They dockt your shillin wages frae the Relief!
Yon's John Knox's Scotland for ye, faith.
Ye had a kirky inclination ance yersel
As a young man, till ye heard o meenisters
Preachin agin free milk in Glesca schuils
For the rickety scrunts o bairns o the unco puir.
Christians, indeed, the hypocritical swine!
Syne ye heard Maxton, there wes a Christian for ye,
No in pretensions like the stots o the kirk,
But in deeds; and John Maclean and mony mair
Heroes o the Clyde. And sae, insteid,
Ye jyned the ILP, for ye didnae like
The Communist creed o violence and bluid,
Tho John Maclean was a man ye could respect.
Ay, but sae wes Maxton, a man o peace
And guidwill, tho on fire wi socialist passion.

    Atweel, a gey hypocrite whiles ye feel
Yersel, boss and worker rowed thegither
In the yae man – the lion and the lamb.
But you're nae Profiteer, and exploit naebody
Sae muckle's yersel, and ye've never socht for mair
Nor a decent livin-wage, nae mair nor average,
And nae less. Ye've never employed
Mair nor a dizzen men, includin yersel,
And aften skimped yersel to keep your men
Aff the dole: some grinder o the puir!
And yet, whiles, ye hae your douts and wonder
Whether ye're no baith hare and hund at the laist.
Ah weel, ye like yer freedom, and responsibilitie,
And couldnae gang back on't nou, come hevin or hell.
But o ae thing ye can be suir, deil the penny
Ye ever made that ye didnae richtly earn:
And damn few o the weel-aff can say that.
Ye're nae usurer, to batten aff the fowk
Or live aff investments, unearned income, or
Hereditary wealth ye never did aucht to mak.
Gin ye had likit, ye could hae selt yersel
In the business market for fowr times your wage
Daein something useless, or even criminal,

In commercial ramps and rackets: insteid,
Ye've been for, whit is't, twenty-three year nou
Chairman o the local Co-op Board
For fags money, and steadily re-electit
By near aa the members, gled o your honestie.
Co-operation, no competition, is aye
The principle your life's been guidit by.

   No that ye blame fowk, within reason,
For exploitin the system that exploits them,
In their ain wee wey. There's a warld o difference
Atween wee Johnnie Aathing in his shop at the corner,
Scartan up a livin frae his third o the price
By lang hours nae labourer wad thole,
Giean a needit service, and multiple firms
Makin fat dividends for the idle share-holders
Oot o the needs o the fowk; or atween
Jock Tamson lettin his upstairs rooms
Ti a puckle students, and landlords like Rachman
Or international property tycoons.
Ay, or even, tho ye canna stand the breed,
A wee pawn-broker chairgein a bit o interest
On actual money lent, and the big bankers
Haudan the warld up for ransom for 'debts'
Entirely non-existent, and bad governments,
Like this Wilson ane for instance, feart to break
The stranglehold o this financial racket,
Taxin the fowk insteid o peyin them dividends.
No, there's aye room for the yae-man business
In a decent society based on co-operation.
It's the system counts, and gin in major things
A harmonious social system governs aa,
It can tolerate human variety in minor.
Ye maun aye hae room for human frailty in
The best o social systems, and the better they are
The bigger the room will be – room
For the drinker, the gambler, the fornicator, for man's
Aggression and love o sport and aakin dangers;
Sae lang's they dinnae seriously rock the boat,
Faur less threaten to sink the thing entire,
As it duis the day. Your ain vices are wee,
A fag, a flutter on the Pools, a nicht at the Picters,
Your warst sins things ye fail to dae;
But ye ken the ithers weel eneuch forbye,
Tho juist as temptations. Drink duisnae bother ye,
But wemen – it's juist as well circumstances
Hae made the game for you no worth the candle,

118

Or by the Lord Harry, you'd hae made Burns
Look like a celibate priest! Faith,
Ye're drawn ti ilka richt-eneuch made lass
As suir's a magnetic needle's drawn ti the north!
Whiles it brods sae sair, ay, even nou,
Ye scarce can thole the pain o self-denial,
And hou ye stood it while ye were young, Guid kens.
Ay, and Elsie kens, for she's passed as a hunder queyns
As weel's hersel, and borne the brunt for them aa.
It's the ae regret that rankles, the sins omittit,
The fires were never quenched, the loves denied.
Is virtue no the biggest sin o them aa?

　　Ye cannae blame the young for winnin free
Frae the wicked doctrines o sex-hatin kirks
That's twistit and thrawn coontless generations,
Especially in touns like this whaur Nature
Conspires tae throw them inti ilk ither's airms,
Open-air love-beds there on ilka hand,
The Lade Braes, the Links, the Bents, the Sands,
And oot Kinkell Braes here, abuin them aa.
Yet, there's dangers tae: yon case
Ye heard last summer o, Bill Spence's lassie,
The ironmonger, bairned by a lad at schuil
And her but twelve. Naethin wrang
Wi a bairn, tho, and Bill adoptit the cratur
To bring up wi its ain mither, faith.
But disease is no sae easy smooled owre,
And ye hear tell that the big touns are rotten
Wi syph and gonorrhoea, and Guid kens whit.
Penicillin – Fleming, anither Scot –
Nearhand killed them baith, but nou ye hear
The bugs are gettin uised wi penicillin
And provin resistant til't: nae joke.
But ach, ye cannae blame the bairns.
The answer's no in fear, but Being Prepared!
The Boy Scout motto, thon's the ticket.
Ye cannae teach them, as auld Broun jokes o't,
To keep the scootin-end ootmaist, but ye can
Teach them Hygiene, and the ways o Contraception,
And let them get on wi't. Ae thing's suir,
Better a guid-gaun fuck nor Self-Abuse,
And that's the yae alternative for maist fowk,
Wi its terrible consequences for their health –
Madness, cancer, TB, syphilis –
Horrible, gin aa they say be true,
Tho ye hear the doctors nou are no sae suir.

But whether or no, onything's better faur
Nor Self-Abuse. Ye tried to tell
Young Jock the ither nicht, "When the pipe there
Gets haurd there, keep your haunds aff it,"
But man, it's ill wark to tell a lad,
Ye couldnae look him strecht in the face ava,
And him wi a sullen kin o sneer at his mooth,
As gin he kent aaready mair nor yersel.

    And aiblins he duis, he's better edicatit
Nou at fourteen, nor ever you hae been,
As faur's book-learnin gaes, for his nose
Is never oot o books, and ye've telt him strecht
(As mony a time ye've telt his mither tae)
He'll read his brains intil engine-yle
Gin he gangs on. It stands ti reason
Ye cannae live wi words insteid o things.
Still, sae lang's he Gets On, ye dinnae mind,
There's better money in brain pouer nor brawn,
And aa fowk dae is sit on their erse to mak it.
Lazy buggers – but there, it peys,
For in this corruptit warld a man's reward
Is aye the opposite o his real worth:
A Gandhi's puir, oil-sheikhs millionaires.

    No that ye'd want to see the lad become
Like some o thae professors ye hae met,
And ither university teacher chiels,
Near aa like packie salesmen at the door,
Aa face and confidence and smooth talk,
Whit tho they're aiblins better kin o fowk.
Gin there's onyweys in the warld ye micht expect
To find men abuin the jungle life
Commerce and pouwer-lust mak o the warld,
A universitie's suirly it. But na,
The shark and the wolf, the vulture and the anaconda
Find happy huntin there as aaweys else.
It's no juist that ye see it in their faces,
But they wey they talk, and whit young Sparfit there,
The German lecturer, telt you o its rat-race.
They're no aa like that, of coorse, but the few
Stand oot agin the rat-race gae ti the waa,
While the guttersnipe gangsters rise, as aye, til the tap,
Juist the same as wi ither business-men.
They're capable, ay, and expert, sae ye're telt
At the twa biggest crimes ye can commit –
Character-assassination, and

Strikan at a faimlie's livelihood.
And if that's your intellectual élite,
As the arrogant deils like to think theirsels,
Whit the hell chance is there for coorser fowk
Tholan sairer temptations wi less defence?
The intellectual gangster waurs them aa,
For in his corruption the hopes o people faa.

    Weel, you're nae professor, and ye're nae exploiter.
Ye can honestly say ye've pit mair inti societie
Nor ever ye've taen oot, an average wage
For mair-nor-average service. This toun
Bears you in its very waas and windaes:
The toun kirk is aiblins the Hoose o God,
But it's Malcolm Brand, no God, that biggit it.
Mount Melville Castle, St. Leonard's Schuil
And its mony hooses, bits o the cathedral,
The Younger Haa, the College itsel and aa,
No coontin the hooses o the ordinary fowk –
Man, there's scarce a buildin in the haill place
But you've a hand in't: a fireplace here,
An extension yonder, renovations there,
Haill hooses that hap new generations.
And when they wantit yon memorial windae
Duin in the Gothic style for the College chapel,
Wha but Brand could they get to dae the job.
Opent by royalty, you meetin a queen –
Faith, life has its bit ironies indeed!
And whit did ye get? A muckle overdraft
And a weekly fecht at the bank for the men's wages
For carvin the stane o a national monument.

    The mason trade is no a bed o roses,
And gin young Jock can mak the grade
Ye'd raither see him set for some cushy job
Like teachin, or a university sinecure
For bletherin and showin-aff, tirin
Nocht but his tongue and his erse for a fat pey.
But even as ye despise thir passengers,
Ye maun allou that, while the system laists,
It's better to ride it nor be ridden by it.
Sax generations o builders in our faimlie –
Lat the seventh be an edicatit, livin sabbath,
Creatan nocht but figures in a bank-book.
Aiblins, faith, the chiel micht be an Author:
No, they're juist fowk ye hear o but never meet,
No real yins onywey, like Wallace or Wells or Shaw.

There's that poet chap, tho, whit's his name,
Muir, they caa him, said to be an Author,
But ye've never heard o his books. No,
He cannae be a real yin, ye've met him yersel.

Aa the same, Jock's aye scribblin awa,
And ye never ken – miracles happen,
Look at Burns, and yon fairmer's son they caa
Grassic Gibbon, that scrievit *Sunset Song*,
Tho ye dout gin he's an Author tae, for his book
Talks owrelike wirsels, and nae Authors dae that.
Onywey, gin yon's a book, there's hope
For Jock, and a man that maks a book
Or a guid story, or even juist a sang,
Is addin something tae the warld, like us,
And isnae juist a parasitic blether.

No that aa Authors are muckle worth.
Some o the muck they churn oot thir days
Is licensed crime. They teach the young
To live in dreams o sex and violence
As gin the victims werenae flesh and bluid
But juist disembodied, dream-like fowk:
And when, as suir's sawn-seed'll sprout, some lad
Rapes a lassie, or sticks a knife in a chiel,
The haill wecht o the law steamrollers him
Insteid o his rich misedicators, and us
That let them peddle poison ti wir bairns.

Ay, let him be an author gin he can,
But ane that sees the meanins intil things,
And tells the truths that us yins cannae see,
No juist some catch-penny pedlar o damned lees.

Snell edge on the wind by the Maiden Rock here
(Maiden! And hauf the toun's been up her!)
But man it's caller tae, a cleansin wind
That blaws mair nor cobwebs frae the saul,
The very breath o life, chill tho it be.
The seagulls ridan oot waur nichts nor this
Maun hae some magic kinship wi the wind,
The waves, the weather; bairns o the nordren airt.
The lown cauld looks frae their very een
And their clamour is but cries o exposed pain.
Hou dae they live, thae birds, in sic an airt?
Yet live they dae, gulls, eider, waders,
Aakin feathered cattle, and even thrive
Whaur a nakit man could scarcely live a day.

It's weird, when ye think o't, hou the lord o the earth,
Man, made i the image o God to rule
The haill earth as a fairmer rules his acres,
Sould be the maist vulnerable cratur that is on't,
Dependent on his arts and crafts for survival.
A man is juist a cratur like ony ither,
Mortal, pairt o a scheme ayont his ken,
A thing o Nature's, hatcht, matcht, and despatcht
Wi nae consideration o his wishes;
For aa his brainy pretensions no able
Ti add, by thocht, yae cubit til his stature,
Nor alter by ae tittle his allottit weird.
And yet, by this weakness made his greatest strength.
This lastness maks him first o creatit things,
Distinguished frae his fellae-animals
By language and ither artifices
Mediate atween him and brute nature.
Is it a difference merely o degree
Or is it kind? Ay, it's kind,
Some thing that sets oor lot apairt frae brutes
As wide's the gap atween a beast and a stane,
Animate and inanimate nature,
A trinity, inanimate, animate, human…

God man, whit a speak for you Brand, aa the same!
Better licht up a fag and turn for hame.

Elsie Brand – Nae Penelope Her

Him awa oot, the bairns happit in bed,
Ye can tak a bit o a breather nou yersel.
Sair fecht a faimlie, and a woman's wark
Is never duin – gey auld sayins, gey true.
Ah weel, aince it is duin
It's fell lang the sleep'll be that follows.

As lang a sleep as mither's had alreadie,
Her simmer gane afore her simmer cam,
Whit is't? Twinty-five year this year,
Near her haill life, gey near, and her
Worn oot wi bairns and darg and povertie.
Hou she kept gaein wi aa the bairns she had
I dinnae ken, and her hert in the state it was.
Nocht but her Irish courage, born o lang
Sufferins even waur nor oors I dout:
Ay, and her Irish love o sang and lauchter.
The warst calamitie she could mak a joke o,
And as for sangs – she'd hunders o them,

And oot they'd come, naitral as breathin oot,
Nae maitter whit her hands were tyauvin wi.
And faither? A Forfar mason's son,
Dour as granite, thrawn as Auld Nick,
"Contrairy as the pigs o Drocherty"
As mither herself wad say o him. Ah weel,
He tae'll be wearit o ayebydan rest
This mony a year, his mason's mell lang idle.

Funny, when ye think o't, an Irish woman mairried
On a Scottish man, and you yersel were born
In Illinois – aa as varied as tartan.
But mither didnae like the USA
And used to greet for hame, especially on
Saturday nichts when the Irish lads cam roond
And they sang their exile songs o Erin's isle,
'I'll take you home again, Kathleen,' or 'Eileen
Alanna,' or 'Kathleen Mavourneen' until the tears
Cam rinnin doun her cheeks, ay and whiles the men's.

Sae hame they cam, yersel at the toddlin stage,
And cannae mind a thing o your birthplace nou.
Hame to Sant Aundraes here, and here it is
Your memories begin, wi Ivy Cottage
And the scent o mignonette and mint there
In the simmer's gairden and the lang miles o sand,
Tawny, airy, saut-tangy, it aye seems
Simmer-time, thir memories o Sant-Aundraes
As gin it aye were simmer there. Simmer?
God, it's haen its winters eneuch sensyne!

Some life Mither had o't, puir thing, whether
In Ireland, or in Scotland, her secont hame.
Ay, and her Mither afore her,
And her Mither's Mither, and aa the lave o the mithers
Back ayont memorie, back ti the year One.
And aa the wives o men, a doun-trodden race
(Mither wi nine dochters in near's mony years)
Tramplit underfuit like clekkin hens.
Men! Coorse bruits the haill jing-bang,
Aa oot for theirsels, enslavin wemen
And syne rinnin them doun for bein slaves!
"Vanity, thy name is Woman!" God!
A different tale's the truth, for Vanity's name
Is man, the wee gallus cock-o-the-midden,
His rampant pride atween his very legs,
And woman's name is nocht but Vanity's skiffie.
Talkin o God, wha but stirks o men

Could prate o "God the Faither, God the Son,
God the Holighost" and never the word
Aboot "God the Woman" – bruits!
A gey queer God denies His ain Mither!
Deil, mair like, and deil pairt we should hae o'm.

Wha but men could blame the Faa on Eve,
Theirs aa the richt and wemen's aa the wrang,
And the bit is, they're aa helpless weans
Withoot wemen aye at their backsides:
It's mithers, no wives, the maist o them are needin!
O they're the gret heroes, they're the big yins,
For as lang's they've a Mither to dicht their bluidied nebs.

Ach weel, they're aa juist bairns, juist laddies
At the hender end, they maun hae their bit strut,
For a man that's tint his pride's a sairie sicht,
By unemployment, say, or ither social
Crime that robs a man o his self-respect.
Ye've seen owre mony beaten men in your time,
Ay, and some o them beaten by bitches o wives
Or son-guzzlin mithers, ever to want
To see a man o yours reft o his smeddum.

No that there's muckle fear wi Mauc Brand!
But young Johnnie there, he's sensitive,
Highly strung and faur owre easy hurt.
Whiles it gies your hert a stang to think
That he maun face a warld sic as this,
And a worker's life withoot its compensations.
Ye're that feart ye'll mak him saft ye aften
Gang til ither extremes to toughen him up,
Tho only wi your tongue, like, and whiles,
At something ye've said, he gies ye sic a look
As maks your bluid rin cauld, ye dinnae ken him,
Your ain son, he can mak you feel a stranger,
He can mak ye feel ye arenae there,
Or as gin ye wes a traitor ti yersel.
Whiles it's like haein a stranger in the hoose.
Ay, he's no like the ither anes,
      Yon yin, and ye're feart to think
Whit'll come o him. The fowk are a herd,
And herds'll no thole whit's no like theirsels.
Ye cannae but worry, and ye cannae hide your worry,
So you're apt to tak it oot on him, the cause.

Damn! There's another live cinder
Doun on the rug, look ye, whaur's thae tongs –
That's it – and anither burn on the rug begod,
It'll suin be aa burns thegither, tyech!
Mauc wad hae pickt it up in his bare fingers,
That's whit coorse darg duis ti the skin.
Funny whit words can dae – tak that "burns"
There – can be fire, water, hair,
Burns the poet, and ither things nae dout
If ye but kent. Ye were aye guid
At composition and spellin, at the schuil,
Whit schuilin ye got, for Mither aye had need
To keep ye hame to help her wi the bairns.
Then ye'd get beltit for faain ahent the ithers,
And yon Maister Sindon ("Satan" they caaed him)
Beltit ye sae muckle that in the end
Ye had a nervous breakdown – yae day
Ye ran, screamin wi hysterics oot the schuil
And doun the street, till ye cannae mind nae mair
Or ye woke up in bed at hame, and screamed again,
And they had to haud ye doun, ye couldnae stop
Shakin and shiverin and twitchin frae heid ti fuit.
And faither gaed and knockt at Sindon's door
And shook him like a terrier wi a rat
And telt him gin ever he laid finger again
On you, he'd leather his erse wi his ain tawse
And syne ram it doun his thrapple, ay, and wuid he!

Sae ye couldnae get awa frae schuil owre suin,
Twelve, ye were, when they let ye oot for good.
And yet, hell tho your schuilin wes, it didnae
Kill your love o readin, the ae thing
That's kept ye gau'n throu a life nae bed o roses.
And Burns amang your readin best o aa
Poets ye've loved, for he kent whit life is like,
Or a gey lot o it, puir chiel, a man
Born o the fowk, driven ti his early daeth
By the same lords and maisters as oorsels.
Nane but the puir can understand the puir,
And Burns kent the lash o the slaver's whip,
The lash o starvation laid on aa slaves for wages.
He wes gey guid wi the whip himsel, but no
The employer's – his wes the lash o scorn
At tyrants, hypocrites, and aakin traitors.
He never uised an English word where a Scots
Fittit better, and vice-versa, and that

Is suirly the richt wey for a Scottish poet,
Tho few ye read nou ever seem to ken it.

But schuil's the place whaur aakin ill is duin,
And gled ye were to turn your ain back on it,
Suir that, houever bad the grouwn-up warld
Can be, schuil for a bairn will aye be waur.
And sae it's been, at least for maist o the time.
A worker's life is hard but nae langer nou
A tawse-wieldan tyrannie like the schuil.
Fowk aye claim to be surprised, the-day,
At whaur the young learnt sic violence.
Faith, it's no faur to seek –
Frae their elders, frae the teachers in the schuil,
Whaur else? The rod o Solomon
(As wicked a deil as ever gaed unhingit)
Lams respect for the pouer o violence
Inti the generations, and hes duin sae
Doun the score o centuries, and mair,
Since the daft auld fornicator dee'd.
Him and his thousand wives, the randy tyke!
Nine hunder and ninety-nine bigamies,
And they talk o "Solomon's wisdom" yet, begod!

Ach, Elsie Brand, let be, for weill ye ken
Aa that men caa "wisdom" is folly or waur.
Men and their notions hae made a hell on earth
Sic as nae wyce wemen could hae duin.
Life itsel's the yae thing truly sacred,
And nae woman worthy o the name
Wad spend the life o a single human bairn
For aa the daft ideas men in the pride
Hae dreamit up in their philosophies:
Yet men wad spend a warld o bairns, and dae,
For the least Idea spawned o their crazy minds,
Ay, or waur, for a bit o siller dirt.

Siller, indeed, is the menfowk's real God,
Nae maitter whit the god their Sunday sels
Pretends to worship. Their God is POWER,
The pouer that Satan tempted Jesus wi,
And "siller" is his Word. For Power
There is nae crime agin oor Mither Nature,
She that bears us, feeds us, tends us frae
The hippin-stage till the mort-claith lays us oot,
That men willnae dae. For Power
Maist men wad sell their bairns' aucht,

As oor Scottish heirskip's lang been selt for gowd
And delusions o Power – faith, the day
Oor auld Mither Scotland lang hes been
Whured by her traitrous sons for English gowd,
For jobs, for "positions", profit, I kenna whit,
For university chairs here in Sant-Aundraes
The very centre o the lang betrayal,
Selt for a stake in England's deean empire.
Liars and rogues are set in authority owre us,
Deavan us wi "facts" as gin we were fuils
Wha'd never heard that "Faith can move mountains"
Mountains o mere "facts" mere idolatrie.
That's the yae fact that's worth a thocht.
They bleat aboot the "facts" the leein limmers,
That Scotland is owre puir to rule hersel,
Juist as it's aye a "fact" that there's never money
For aucht that the fowk really need, like hooses,
Transport, or even food for stervan bairns –
But there's aye eneuch for wars, for WAR's their creed.
A sneeshin o gun-pouder moves mountains o facts,
And Faith could move haill Himalayas o them.
Aa Scotland needs is juist a grain o Faith
In her ain pouers to rule her ain roost.

   My, this fire's fair het, ye're faain owre,
Your een nid-noddan, zzz, nid-nod... sleep
Zzz sleep knits up the cavelled reeve o slare...

   My God, whit's that! God, ye've been asleep!
Ach, it's juist Mauc, I hear his fuit in the haa,
He musta banged the door shut ahent him.
That you, Mauc? Oh, ay, and whit wes she like?
At your age tae, gallivantin aboot.

      Haud your wheesht, wumman, I just took a dander
      Oot the braes on my ain. It wes quiet.

Newsy Fenton

...ODicals, peeriODicals,
Sunday HERald, HERald,
POAst, Sunday POAst, peeriODicals,
Weekly PAIpers, PAIpers,

Wemen's MUNthlies, MUNthlies,
Sunday CHROnicle, peeriODicals...
Haw tye, a braw moarnin, Mistress Braand, a braw moarnin,
Ay a fell snell wund that, and the bit drizzle, as ye say.
HERald, Glescae HERald.
Whit's that ye say, People's Friend, haw tye,
And hou's the guid man, mistress?
Ay, a fine maan, Mauk Brand, gin he culd juist keep douce
And forget some o thae tink socialist notions o his.
Eh, did ye hear aboot Droothy Gourlah?
Droont, begod, ay, droont i the herbour!
Ay, last nicht it wes, puir fellae,
His uisual Setterday nicht, ye ken,
Fou as a puggie,
Him the last oot o the herbour bar as uisual,
Fair stotious he wes wi the whusk,
And staichers paulie-leggit doun the brae
And erse owre tip he cowps owre the rail
Inti the herbour,
Haw tye, and man, naebody heard a thing, gey queer.
He wes nae kitten, Droothy Gourlah.
HERald, Sunday HERald,
Whit's that ye say? Ay, you're richt, Maister Tamson,
Deid richt, guid job it wes juist a Gourlah.
Owre muckle a THAIM onyweys, atween wirsels, eh?
He'll no be owre sair begrutten, I lay ye that.
...TORial, PicTORial...
Ay, and him that could never abyde waater,
No sae muckle's a cat's lick,
In ony shape or foarm,
Naither in's gless
Nor on his tarry hide,
Feth, him to dee o waater!
By Christ, waater got its ain back in the end.
Ay, ye're richt, sir, nae dout it wes
The wecht o dirt that sank him.
HERald, Sunday HERald.
Hi you, Johnnie Wearie, get yir filthy paws affa ma barra!
Ye orra tyke, dinnae think I dinnae ken ye!
Haw tye, Maister, as ye say, fowk aye said o Gourlah
The drink wad get him in the end:
Christ (savin the sawbath), but wha'd believed
The drink wad be undilutit waater!
It wes the waater got him in the end!

The Daeth O Brand

Deid this day liggs the builder Brand
But villa, hall, and steeple stand;
His mell and chisel are useless lain,
Yet nae tears coorse frae the hert o stane.

His bevel, troon, and plumbline tae
Lig in the kist as uislessly
As in the grave the lifeless bane:
Yet nae tears coorse frae the hert o stane.

His yerd is as desertit nou
As some auld citie in Peru:
A king is bye wi't, and his reign,
Yet nae tears coorse frae the hert o stane.

The heidstanes in this plot o grund
Nae mair nou will ken his hand
Carve the dictates o his brain:
But nae tears coorse frae the hert o stane.

A hert o stane ye'd need to hae
To feel nae stound for Brand the-day.
The builder's enterit on his ain,
But nae tears coorse frae the hert o stane.

But I'm nae stane, and here I stand
Wi stangin hert for Malcolm Brand
Whase like I'll never see again
Till tears coorse frae the hert o stane.

Epigrams

The Bard

A dog starved at his master's gate
Foretells the ruin of the state.
William Blake

A stane in the Alps comes rowan doun
   And the plainsman sees but ane:
But the hillman sees wi a mangstie froun
   An avalanche in the stane.

The Wee White Rose

The bard is nae dout richt, I dinna ken,
To say the haill warld's rose is no his pairt:
But he that plucks wee Scotland's for his ain
Will certainly never want for a broken hert.

In Defence Of The Razor-Boys

(On a poet's defence o a bad poem for bein "tough")

They're aiblins gallus, ruthless thugs,
   Brutal and coorse eneuch,
But their feet are weel-grundit, they're nae mugs,
   And they're real teuch, man, teuch.

Nevis O Ignorance

I ken oor age is in deray
   But I really think it hard
That a Scottish bard o the present day
   Kensna the meanin o "bard".

Pseudo-Classical

Oh, ay, control's aa very fine,
   It's the pseudo-classical fashion:
But whaur's the merit o discipline
   In bards bankrupt o passion?

On a Versifier Wha Caaed Me
"Only a Singer"

I maun confess't, I am nae mair
Nor a bardie singin oot on a limb:
But o yae thing I am sikkar suir,
There's nane can say the same o him.

At The Execution O Chairlie The First

King Jamie's traitrous coorse is run,
  And here the fowk foregaither
To see the English dae wi the son
  Whit the Scots should hae duin wi the faither.

On Being Threatened With Legal
Action By A Poet

Ay, yon makar can flyte wi his pen
  While naebody answers ava:
But gin a man flyte him again,
  He rins to the skirts o the law.

On Moral Re-Armament

Frae toun til toun and fairm til fairm
  In twas and threes and scores,
The morons o the warld re-airm,
  Haean nocht to lose but their mores.

A Writers' Conference

Douce Embro fowk are in a steir,
  For meetin aa in quorum
A wheen stray dogs hae gaithert here
  And pisht on their decorum.

The Union?

"Ae wee island atween us twae,
  Sae union atween us there maun be",
Said the wowf til the lamb, as he grabbed his prey:
  "The blessed union o you in me."

Poetry Reviewer

Yon twister's labour is to abuse
   The wine his bread-providers trod,
Sleekitly traduce the Muse
   And denigrate the Grace o God.

A Wee Bit Bouquet
For A Big Bit Poet

*Supposing that Nature
were to deny us the power of verse,
which she don't, I, or Cluvienus,
would do just as well
out of sheer indignation...*
Juvenal

Gin your Indignation
And Nature's no ane
(Like the faces o Janus)
In close integration
Wrocht oot o pain,
Then I'm Cluvienus.

On MacDiarmid's Marxism

An orra look nou Marx hes got!
   Wha'd ken him in sic form?
A sickle for the Anglo-Scot
   And *Malleus Anglorum*!

Lealtie

Ye spier me whit wey I spurn the cur
   As gin he were the fiend?
Better a murderous enemie nor
   A hauf-hertit freend.

Beeching

When Beeching for the wark he's duin
   Is sent doun ti perdition,
Satan'll say in fricht, "pass on –
   I want nae competition."

On Hiroshima And Nagasaki

Gomorrah and Sodom are dingit for sure
  Whaur they burned upon the plains,
For the fire God made wi his infinite pouer
  Hes been bestit by man wi his brains.

On A Scottish Poet Who Says
"The Future's In English"

The bardie's richt, as wi nae mair grievin
  His future in English he plots:
For as that's the yae leid he can scrieve in,
  Certes he hes nane in Scots

On The Embro Castle Gun

Embro proves daily, round by round,
That empty capitals mak the maist sound.

To A Poet Savaged By
Academic Reviewers

Ye've nae guid ground
To raise a steir:
Wes there ever a hound
Wadna herry a deer?

Scotch Criticule On Shakespeare

Ay, he's great at his best, I must admit,
  Tho sae UNEVEN in ways:
Maist o the lyrics are exquisite,
  But och, yon rantan plays!

Music Reviewer

He couldnae even sing ye, I'll tak my aith,
Twa sixteen-tone arpeggii on yae braeth,
Faur less incarnate a noble sang –
Yet he tells us, for a fee, whaur Siepe's wrang.

(Cesare Siepe – great Italian basso)

If The Cap Fits...

I made a coat for a certain bard
As ticht as I could mak it:
But even I wad never daured
Say hou quick he'd tak it.

Limerick Composed In Sleep

(dead of night, 8th January, 1966)

O how awful to be Doctor Scott,
With his who and his which and his what,
   And his why and his wherefore,
   His thus and his therefore,
And the three bawling infants he's got.

Flytins

The Worm's-Eye View

Show him the noblest palace here remains
And he'll spier anent the weygauns o its drains;
Or show him the bonniest roses, and be suir
He'll manifest an interest in manure;
Or Marilyn Monroe wi naething on
And he'll gash about the human skeleton.
Let him see the finest works o Goya
And he'll deduce the lot frae paranoia.

The haill o art, o ilkan age and nation,
Stems frae some neurotic aberration.
Could ye set the Taj Mahal afore his een
He'd prove at a gliff it wesnae worth a preen.
He sees life as the sodgers did the Cross,
Or as mindless seamen eyed the albatross.
For him a Christ is juist anither blether –
Christ, did ye say? He kent his Faither!

But in the end yon chiel's your grave realist
That feeds fat on the wingit idealist.

A Wee Cock O The Midden

Hark at yon carle wi the muckle mou
Wi its self-admiration steekit fou,
A "clever laddie" (gey senile nou)
        Struttan there
Wi his (bauldan) intellectual brou
        And weedit hair.

He gorbles like a bantam-cock
On a dung-hill, amang his bantam-flock,
As gin he were king on his castle rock
        Upheezit abuin aa,
A Lucifer o the fairmyaird stock –
        Hark at him craw!

Ye'd think, to hear the cratur blether,
Aa ither birds had scant a feather,
Nor ony uis but to foregaither
        And hear him cleck:
But fegs, there's mony a yin wad raither
        Thraw his neck.

And there's mony mair wha'd raither hear
A mavis warblin strang an clear,
Or wha haud the laverock's aria dear
        Abuin aa,
Insteid o tholin in their ear
        His raucous caw.

For, hace o voice and jimp o wing,
He can neither flee nor sing,
But only flap and rax and fling
        On his heap o dung,
Tho doun the finest birds he'd ding
        That ever sung.

A cock in a hen-ree hes his place:
He serves to propagate his race
And wecht our tables wi God's grace,
        As nane can dout:
But damn the cocksure pride wad face
        A wild bird oot.

The albatross is beloved o bards:
But set ane doun amang the turds
In ony hen-ree, and nae words
        Could pent his plight:
The vans, that mak him king o birds,
        Pinion his flight.

His legs are shilpit, his wings are strang,
And on the grund he sprachles alang
Peckit by aa the bantam thrang,
        Thowless and thirled;
But ance intil the air he's flang
        He'll span the warld.

But kailyaird cocks in their sharny station
Are wicer in their generation
And louder-moued in altercation
        And local pride
Nor the finest birds in God's Creation
        Warld-wide.

Sae let him vaunt his cocky brains
And preen and craw owre kittler anes;
Yon carle a philistine remains
        In ony terms,
And his sensibilitie in grain's
        A pachyderm's.

Yet, to be fair, it's possible he
May gang doun tae ti posteritie:
No for aucht o his ain they'll see
                    Survive the hearse,
But because he gart a bard like me
                    Flyte him in verse.

Jay

(Garrulus Glandarius)

No for him the lyric gift o sang
Alane identifees the outwaled bard:
Yon bird's a realist, and his voice
A harsk and realistic skriek
Like linoleum tearan,
Tho whiles he chuckles and clucks
As owre some private joke,
Or wheeples and pyow-myows in his neb.

But tho nae Orpheus in voice, he has an ee,
A bead o slaty-blue
That glints warily out
And misses little:
A clever ee that jays the warld
Intil a warld o his ain conceit.

He's kittle, mak nae dout,
A sleekit, aggressive sidewinder o a bird,
Fit for tricks and treacheries,
Preferran the shade o a wuid til open fields
As weel he micht, because,
Tho rife eneuch in England,
Here the breed is herried for its habits
By keepers o game, and by game fishers
For its fly feathers.

Whiles his pagan tones are heard
Deep in the mirk o a wuid
Whaur ither birds are scant,
Caain owre his individual notes, emulatan
Nae ither sound but his ain original skraak;
Nae traditionalist he, to sit at the feet o the maisters.
Yet, tho he claitters awa in wearie repetition,
Self-imitation,
On aucht that really maitters ti the race
The fient a word he hes to say but "skraak".

138

Owre lourd in the wing for lang flights,
He's agile eneuch in the trees,
Climbs and clings weel on brainches,
Is cliquish, fond o bickeran pairties.
Nae dangerous liver, he nests aye near the grund,
A bourgeois bield, weel-eneuch theekit:
He hauds his ain in life and even Gets On.

Aa birds are worth some study,
And sae is he for whom
His meisurements carefully booked,
I've tailor-made this suitably tuneless ode:
For under the gaudy disguise,
The gew-gaw glitter and the modish feathers,
Yon taxidermist's pet
Is juist another craw.

Talent And Pouer

The finest talents I hae kent
Hae maist o their lives in puirtith spent,
While the ego-pushers on ilka hand
In places o pelf and pouer stand.
    Dounwart the wechtier metals plumb
    But upward aye rises the scum.

Amang the artists I hae met
I ken but twae that seemed to get
In time, aucht like their due scot –
Epstein and T.S. Eliot.
    Dounwart the wechtier metals plumb,
    But upward aye rises the scum.

Pound his thirteen years hes lain
In a Yankee prison, declared insane
For tellin the truth about Usura –
Truth is treason, agin the law.
    Dounwart the wechtier metals plumb,
    But upward aye rises the scum.

And Grieve-MacDiarmid in his auld age
Is livin still in a fairm cottage
On a pension wadnae feed a cat:
Yet Burns hadnae even that.
    Dounwart the wechtier metals plumb,
    But upward aye rises the scum.

Dylan had to earn his grog
By actin the performin dog;
Yon private poet in the public sector
Wes houndit to daeth by the tax-collector.
    Dounwart the wechtier metals plumb,
    But upward aye rises the scum.

Graves in his lordly isolation
Survives chiefly by prose-narration –
Gey guid prose, aye wrocht wi care:
But Robbins is a millionaire!
    Dounwart the wechtier metals plumb,
    But upward aye rises the scum.

George Barker the-day (at fifty-four)
In combat's lockt wi the wowf at the door,
No allowed to teach, refused a pension
By "socialist" premier, Harold Wilson.
    Dounwart the wechtier metals plumb,
    But upward aye rises the scum.

Auden, frae verse, as I've heard say,
Can mak aboot a tradesman's pey –
The spoilt genius o his generation:
Whit poet else in the haill nation?
    Dounwart the wechtier metals plumb,
    But upward aye rises the scum.

Edwin Muir was rarely free
To gie full time til his poetrie,
And his critical gifts had to misuse
Scrievan ephemeral reviews.
    Dounwart the wechtier metals plumb,
    But upward aye rises the scum.

I could list mair, but whit's the use?
Gin ye ken a swan frae a kecklan goose,
Or a blackbird frae a craw can tell,
Ye can fill the lave in for yoursel.
    Dounwart the wechtier metals plumb,
    But upward aye rises the scum.

But syne there is the ither kind
Whase voguish names ye aye will find
Whaurever money and social pouer
Misdirect our literature.
    Dounwart the wechtier metals plumb,
    But upward aye rises the scum.

It wad the craft o poetrie shame
To mention them in verse by name:
They'll hae their day, but at set o sun
Find their true place in oblivion.
    Dounwart the wechtier metals plumb,
    But upward aye rises the scum.

Like English elms in simmertime
Their fulyerie may skanse and skime:
Come autumn, their leaves'll crine bedeen
While the Scots pine's are bydan green.
    Dounwart the wechtier metals plumb,
    But upward aye rises the scum.

Some are advanced for their degrees,
Their "charm", their "personalities",
Or ither sic socialite qualitie –
But nane for poetic abilitie.
    Dounwart the wechtier metals plumb,
    But upward aye rises the scum.

The warld prefers, ti the chiel can write,
Yon academic bletherskite:
Prefers the reviewer and his hate
Ti the man whase sperit maun create.
    Dounwart the wechtier metals plumb,
    But upward aye rises the scum.

A man can mak a livin wage
Frae near aucht adae wi language
Binna whit maitters abuin aa thing:
Scrievan verses that can sing.
    Dounwart the wechtier metals plumb,
    But upward aye rises the scum.

On Arts Committee sit secure
The literary crook and whure
Blockan the licht for better men
And better warks nor they could pen.
    Dounwart the wechtier metals plumb,
    But upward aye rises the scum.

Skulkin in anonymitie
Thir lackeys o Authoritie,
Criminals and cowards baith,
Ettle ti smoor the Muse ti daeth.
    Dounwart the wechtier metals plumb,
    But upward aye rises the scum.

It's no juist in art this truth I see
But in ilka rax o societie:
Talent and Power are seldom twin
Under the sun and waukrife muin.
    Dounwart the wechtier metals plumb,
    But upward aye rises the scum.

Professor Go-Getter

A clever laddie wi an appetite for pouer,
The hurdles fell afore him as he passed.
Exam papers he scattert like a shouer
O autumn leaves afore the wintry blast.

His first degree he picked up wi an air,
And took in his stride an arid Ph.D.
By forty he wes wearin oot a chair,
By sixty bossed a haill facultie.

Talent shivered as he penned his ire,
Genius itsel wes rocked by his decrees,
While dearth and daeth grew cheery at his fire,
And life wes safe for dull nonentities,

Till nou: it isnae book-worms devour
Yon clever laddie wi the appetite for pouer.

Tinekeyenif

(The land that God forgot.)

I ken a land whaur richt is wrang,
Whaur prose is verse and speech is sang,
A land whaur things are upside doun,
Treason wields a perjured croun,
Policie steirs up rift and schism
And ootcast's driven Patriotism.

Whaur Treacherie's advanced ti pouer
And Lealtie murdert in the touer;
Whaur ruthless criminals rule the land
And the guid are oppressed on ilka hand;
Whaur the fowk aa vote for Tweedledum
And Tweedledee is set owre them;
Whaur A is Z and Z is A,
Play is wark, and wark is play,
Whaur assault on adults is mortal sin
But assault on bairns is "discipline".

142

There it's healthy to be blind
For Vision's a seikness o the mind;
The greatest virtue's Duplicitie,
The warst vice Integritie.
Aa that's guid's frae furrin trade
Aa that's bad is native made
And writers'll be at ony pain
To scrieve ony language but their ain,
While a critic's peyed the greater heed
The less he kens o the native leid.

Whaur poets starve while the lice that batten
On their poetry thrive and fatten,
And journalist and academic
Vie in philistine polemic
Agin thae writers tak their stand
On the best interests o their fowk and land
While literary pouer's wieldit by men
Wha've achieved damn aa by the makar's pen;
And thae that hae nae name to tine
Will defame poets in the foremost line.

There the servant rules the maister,
Publishers command the author,
Quacks wi salaries are rewairdit,
Merit defamed or disregairdit,
While prostitutes in clique and band
Hunt the chaste Muses frae this land
Whaur aathing, near, that's richt is wrang,
And prose is poetry, talk sang.

The Common Badger

(Meles Vulgaris)

Close cousin o the skunk, the strippit brock
pads flat-fuitit, deuck-ersed, near the grund,
kittit oot byordinar weel wi teeth
for his omnivorous, voracious appetite
that gluttons on the toothsomest of fare –
fruits, mast, mice, frogs, ruits, worms and slugs,
insects, bee and wasp grubs and young birds.

His hide's that thick and coorse he can rype oot
bykes o wild bees and wilder wasps
impervious o their stings. Nae whippet,
as he lollops owre the grund he never tires,
yon dogged and unscrupulous go-getter,
stocky, and as sturdy's ony swine

(his creeshy flesh, weel cured, micht pass as ham).
His den, tho it niffs o brock, is no nae stye
but a set o chaumers, weel-theekit and bien,
dug oot in the depths o the shady wuids,
no easy stormed by dachshund or ither dog.

A baest weel worth the watchin is oor brock
wi murder and destruction in his een,
survivor o an auld and barbarous sport,
but menaced here by a new threat o extinction:
no as a cheaper substitute for ham
but because he spreads consumption amang cattle.
And gin rabies ever raxes us in Britain
(and whit wey will it no?) puir brock's in the shit,
for Authoritie will issue his daeth warrant.

And that wad be a petie, wad it no,
for he's easy tamed, and wi his bawsont face
and eident, rootlin weys, he's entertainin
(tho treacherous and never to be trustit).
This countrie's no that rowth o carnivores
that we wadna miss him, kin o the skunk tho he be.

Paulie And Frankie

Caina attende chi vita ci spense...
            (Dante, Inferno V)

Sae ye're gaun oot wi anither?
Ye're giein ti him the love I thocht wes mine?
And ye're tellin me the fellae's ma young brither,
That the pair o yous been lovers this lang syne?
Nou mark ye this, my lassie:
I'm juist the yin that duisnae gie a damn!

Let me tell you that yir lover, lassie,
Isnae worth a bugger.
And whit's mair – Ah am!

Ye can rin and tell yer fellae
That I never really loed ye,
Ye can tell the silly messin
That he's mair than welcome til ye,
Ye can tell him that I uised ye,
That it's ma cast-aff he'll bed wi,
And that fur masel I dinnae care a damn!

Rin and tak a heider in the Clyde!

Epistle To Robert Fergusson On High

Fergusson, twa hunner year
Hae come and gane since ye were here –
I wonder, sir, whit you would say
Gin ye could see the toun the-day.
Muckle changed in aa that time,
No hauf sae blackent owre wi grime
Frae chimla-reek, her streets wi glaur
No clairtit up, but wi faur waur
Pollution pysonin her air
Frae cars and lorries thrangin there.
Changed indeed, yet aye the same
Embro, in mair nor juist the name.

The eponymous castle staunds there still
Upon its cleuch; the Calton Hill,
The Guttit Haddie and Arthur's Seat
Aa glower doun nou at Princes Street –

An unco street, a street o sin,
At tae end a pisshoose, at tither a Binn,
And an architect's nightmare in atween
Wi shops ti fleecin sheep owregien:
Maistly foreigners greedy for gear
And shippin it south, or further frae here.

Ye mind whit you kent as the Nor Loch?
Nou a railway rins there under the cleuch:
In fact, they biggit a haill New Toun
Frae the Nor Loch north side, rinnan doun
Wi nae devall ti Leith and Granton
On the Firth o Forth – ye'll think me rantin
But it's true, ye widnae ken the place
Wi its hauf million populace.
Frae Oxgangs doun ti auld Newhaen,
Frae Musselburgh ti Cramond Inn
Is gey near solid rowth o hoosin
For Jock and his Jenny to be crouse in.

The central New Toun in itsel
Wes planned the opposite o the hell
You kent in the auld toun o your day
Packit in lands like peas in brae
Or sautit herrin in a barrel
Wi scarce the room for a faimlie quarrel:
Streets as braid's the Forth at the 'ferry
(At deid o nicht they can be scary),

145

Hooses palatial as Holy Rood,
Ilk room as big's a ballroom sould
Be (and rarely wes when you were here)
Eneuch for you and your faimlie, near.

The High Street and the Royal Mile's
Aye there, tho changed, and sae's St. Giles:
But the Luckenbooths hae langsyne gaen,
The Tolbooth jyle's lang empty lain,
The Toun Guaird's nou the City P'lice,
The Tron Kirk bell neer braks the peace
On Sunday, or ony ither day.
The street's a proper, modern way
Thrang wi shops o profiteers
Sellin gew-gaws and souvenirs
(Frae a cairngorm brooch ti a tartan knife)
Ti aa the tourist warld and his wife.
The law coorts function as afore
But ye nae mair see a thief's lug tore
Frae its nail in the iron, nor a spine laid bare
By hangie's lashes piled on sair
On some carle or carlin's nakit back
For liftin a chicken, wantin a plack.
And tho the Grassmercat is still
A waesome haunt o the puir and ill,
It's gey lang nou since the gallows-tree
Launched puir sauls for eternitie.

Nae gardy-loo nou wauks the nicht,
The streets by day are clean and bricht
Tho modern sewage files the Forth
Frae the sudron shore owre ti the north.
There's mony a close ye'd ken at sicht
(Some lands even Geordie Heriot micht!)

The Canongate's nou gey prinkit up
By as when you wad drink and sup
There, mony a nicht in your owre-short life,
And druckenness is no sae rife.
Its kirkyaird, whaur your banes are buried
Since on Daeth they gat ye mairried
For liftin yae bawd's skirt owre mony
(Nouadays we haena ony,
For fuckin like the air is free
And the willin queyns chairge nae fee)
Is muckle the same as it wes when
Burns raised owre them his honoured stane:
And tho you're Embro's greatest bard
For ither memorial ye'll look hard.

146

Neer fash, your name we'll yet be seean
In tubular scaffoldin and neon!

The slorpin whusk you did in clubs
We dae nou in howffs caaed pubs,
And whit ti you the High Street wes
Rose Street is the day ti us,
A street o queyns and comic singers
And rantin bardies gauin their dingers
(Tho mair respectable o late
Since Tam Scott gied up gaein tae't)
Till ten, when aa maun take their gait
For hame, aiblins wi a cairry-oot,
Whisky, cans o yill or stoot,
To gar the wee oors flee like baukies
Wi argie-bargies and talkie-talkies –
Gin you were here you could gie's a sang
As I hae duin, tho no this lang:
Your tenor ti my bass,
God, we'd fairly ding the place!
Say, my auld flat in St. Vincent Street,
We'd gar the neibours tak a freit
As aft they did, and send for the polis
For raisin auld Nick – or Weelum Wallace.

Ay, muckle's the same as aye it's been.
The paps o Fife can still be seen
Frae the castle-cleuch lookin north,
And ither landmarks ootowre the Forth,
The same the-day as they were when
Auld Aneurin wes juist a wean.
The Water o Leith is rinnan still
Throu Dean Village wi its ruined mill
Ti Stockaree (bi St. Bernard's Well)
Till in the Forth it drouns itsel –
The haunt aye o spink and linnet
As it wes when, a bairn, you paiddlet in it.

As for the toun and hou it fares,
It's gey as in your time, or e'en Dunbar's,
The mony exploitit by the few
Big merchants and their crew,
Usurers, bankers, profiteers,
Public boards and financiers,
Aa oot for the main chance,
Leadin the fowk an unco dance
(Puir, gutless, mindless sheep
Sunk in apathetic sleep)

147

Aa theekin their ain nest
At oor expense, rogues confest,
Haudin the public up ti ransom
At prices extortionate (and some!)
Caain their licence to profiteer
Rype and reive in gaitherin gear.
"Freedom" – nou a dishonourt name
That Bruce and Wallace ance gied fame.

The City Faithers fidge and fyke
(Faithers? step-faithers, mair lyke!)
To hae us aa – shades o Dunbar! –
Subjectit ti the gret god Car
(A juggernaut mair dangerous
Nor is the Atom bomb ti us)
Slowly destroyin public transport
Sae that car-owners can hae their sport,
Herdin the fowk wi rails like cattle:
Robbin bus-users o their change:
Insteid o free Queen Street ti the Grange
(Or even the High Street) declarin cars
Out of bounds durin business hours.
But when sic guid advice I gie them
As wad frae daft incompetence free them,
Ye'd think that I wes offerin
A dose o jalap laced wi gin.
The truth is they're idolators
Worshippin their pagan Cars,
Settin up idols insteid o God,
Claimin ten times their share o the Road.
The Israelites wi the Gowden Cauf
Never sinned as bad by hauf.

You, dear Bob, wha sang the Daft Days,
Should see nou the unco craze
That for distraction we hae here
Three weeks o the joyless year.
It's whit they caa a Festival,
A cultural spree wi nae devall
For three haill weeks lip-service ti Culture
(For the profiteers a bonus multure)
A penance peyed ti the Divine
For the philistine ither forty-nine –
An offerin gey pseudo and sottish
(To borrow Eriugena's joke)
Eschewan aa that's native Scottish
For the arts o ony ither fowk
Or nane, for the Embro philistine

148

Is fair ashamed o whit's yours and mine.
Whit ballerina wore a kilt?
Her name wad need an –*ova* til't,
For gin it wes Strauchan, she'd neer win fame
Till Strauchanova wes her name.

Yae thing, be suir, that's never on,
Is work by Robert Fergusson!

Your bi-centenary it's true
Hes brocht furth a canny few
Tributes that were lang owre-due
For whit they're worth: no muckle.
Some libraries hae gien a puckle
Exhibitions in your honour,
And official bodies played the donor
In twa-three splurges in the toun,
Maistly by fowk o the toun and goun
Are enemies o aa you stood for,
Carin little o whit you're good for:
Endin wi a muckle denner
Splashed in the usual philistine mainner,
Bran and swill for the bourgeoisie
Wha care nae boddle for you and me
Or the Muse o Scottish poetrie,
The kind o splurge and comic turns
That yearly degrade the name o Burns
Wha, lovin you, took up your work
And laboured like the proverbial Turk
For the Scottish Muse – for which they gave
Him, like you, an early grave.
The same fowk, were ye alive the-day,
Wad spurn ye as they wad a stray
Dog, treat ye as bad's, or waur
Nor, they did in 1774,
Sterve ye ti daeth as they did then
For bein a son o the leal pen
That's no for hire, nae millionaire's whure,
Nae slave o cheques or ephemeral pouer.
For bards the times are aye the same
And the wilderness their only hame,
Driven by slander, envy and hate
For Truth and Vision, inti ootcast state:
Yesterday, the-day, the-morrow
The Muse's lovers maun dree their sorrow…

But ach, amang the gods there quaffin
Nectar, you're keekin doun and laughin!

Sestina: Aberfan

How can we think of it, seven-score children
Buried at school under a mountain of slag?
Despite people's warnings, in spite of all talking,
Officialdom shrank (it is usual) from action
Till now this name spells our worst of disasters –
O Aber, Aber, Aber – Aberfan!

O Aber, Aber, Aber – Aberfan!
May officialdom drown in the tears you weep for your children
Smothered under that hell-black mountain of slag,
Mountain as big as the sin of useless talking
Aimed at evading all effective action
That might have prevented this most sinful disaster.

Accurst for aye be the authors of such disasters
As Aber, Aber, Aber – Aberfan!
Think of that coal-black horror that swallowed our children
Under its slimy mass of Satanic slag
Because of the waste, waste, waste of words in talking
By which officialdom shirks the duty of action.

When in the name of God will effective action
Save our bairns from such totally needless disasters
As Aber, Aber, Aber – Aberfan!
What of the future? What of our children
So prodigally fed to a Moloch of slag?
Are we now to return to the game of useless talking?

Let us abjure all thought of worthless talking
When what we need is swift and effective action
To spare our children from further man-made disasters
Such as Aber, Aber, Aber – Aberfan.
And where, O where were You, God, when your children
Were engulfed forever by Greed's abominable slag?

An evil past hangs over us all like slag
As we waste our breath in political slick talking
Designed to evade quite obvious simple action.
Our 'way of life' (of death) begets disaster
Such as Aber, Aber, Aber – Aberfan,
That engulfs our darlings, our dear and innocent children.

Requite we our children devoured by the capital slag
While officials are talking to perpetuate their inaction!
Requite we this disaster! Requite we this Aberfan!

Dirgie For T.S. Eliot

Howk the mool and set therein
This poet o the felloun sin
That haunts us frae oor origin:
    Here sall byde ayebydanlie
    As muckle o Eliot as can dee.

East Coker soil's no like to ken
Throu coman centuries o men
Sic anither stour again:
    Here sall byde ayebydanlie
    As muckle o Eliot as can dee.

Here the wren sall wap its nest
Whaur undisturbed by host or guest
Eliot taks his endless rest:
    Here sall byde ayebydanlie
    As muckle o Eliot as can dee.

Bat and houlet nou sall guaird
The poet's ultimate rewaird,
The haill o his estait in erd:
    Here sall byde ayebydanlie
    As muckle o Eliot as can dee.

The rains that faa on rich and puir
Nou sall sain for evermair
Eliot's banes when they are bare:
    Here sall byde ayebydanlie
    As muckle o Eliot as can dee.

Hap the mool and bigg the stane
Whaur throu his corridors o brain
The tyrant gong sall dirl in vain:
    Here sall byde ayebydanlie
    As muckle o Eliot as can dee.

Leave him here in this honoured spot,
Leave here in this yew-tree plot
Aa that's mortal o Eliot;
    And let aa your murnin be.
    Here sall byde ayebydanlie
    As muckle o Eliot as can dee.

Woman's Bewtie

A woman's bewtie is a lamp o life
  No to be hid under a birn o claith,
Nor sauld in the mercat-place as a private wife
  But let shine furth as witness o her faith
In life itsel, that wrocht her wi sic grace,
  And o the God whase ither name is Love.
Her body sould be veilless as her face,
  Saikless o art as her emblem is: the Dove.

A woman's bewtie is a lamp o daith,
  Maist dangerous for men gin keepit in dern
Under a douce disguise o pit-on faith,
  Like a trap in the grund covert owre wi fern.
Sae strip the peril bare for aa to see
  Lest ony man complain "I didna ken",
Like puir auld Ruskin faced wi realitie.
  And them that daur embrace her will be men.

A woman's bewtie's a lamp o life and daith
  But the man that dees in her sall live again.
Therefore, praisan her, lat's praise them baith.
  She's, for better and waur, the weird o men.

Joan Eardley

Scotland lang had need o a mither,
Sae Joan wes sent
To prove ance mair
A mither can be a maid.

Unmairriet she wes,
But the bairns kent her,
Saw throu the disguise
Whitna spinsterhood she wore,
And cam croudin in
Frae the stairs and closes
Frae the back-coorts and the middens
Frae the washin-hoose jumps
Frae the sand-hill plots
Frae the warehoose yairds
Whaur the dowie gress
Reeks o cats-piss and moolie beer,
Frae the streets and the trams
The jungles o parks

The back-coort peever-beds,
O aa the bairns cam croudan in
Kennin fine that Scotland again
Had gotten a mither.

They cam in rags
They cam in blazers
They cam in jerseys and skirts
In shirts and troosers
Stockins roond ankles
Knickers hauf-hingin
Dirty-faced, towsyhaired,
Some o the lassies
Wi younger bairns in prams,
Aa shapes and sizes
The haill and the seik
The lame and the humpie
The skelly-eed and the hauf-blin,
O they cam aa weys and sorts.
But come they did.

They cam as the doos in the city square
Come ti the man wi the haunfus o crumbs
And like the doos
They settled on Joan
And fed frae her fingers,
Ate o mankindness
An infinite compassion
Frae her open palms,
The palms o her infinitely lovan
Timelessly caressin
Givin and creatin
Hands.
Scotland again had a mither.

But no juist the bairns –
The auld fowk tae
Cam under the benediction
Flowed frae her hands,
Her lovin hands, her healin hands,
And sheltered awhile
In their stintless charitie –

The auld and abandoned,
The carle and the carlin
Alane and crumpled, tea-pat on the hob
At their kitchen-grate,
Stitchin at clathes
Tea-cups in hand

Or sookan at a pipe,
Society's auld Clydesdale horses
Turned oot to dee
On the coorsest o gress.

For them tae a maid wes a mither
In Scotland again.

But no juist the auld fowk –
The vera land and sea theirsels cam creepan up,
Croudan in upon her
Eident to tak
A benison o thir lovan hands,
And the dowie colours,
The washed-oot weeds o Scotland
Gane fadit in her shame
Betrayed by her husband,
Pimped by her sons
For the foreigner's gowd,
Took life frae her hands
And glowed and lowed
Again intil warmth,
Intil life and youth
As gin she were again
A lassie unsullied
An unwhured queyn
A de-dishonourit wife
Restored til her beautie
By thir life-givan hands.

Suddenly, as gin she discovert
We didnae deserve her,
She upped and left us
Alane again
To dree the return o the auld doole –

The doole o a weird uneardly.

Morningside Cemetery:
Burial O Stuart MacGregor

The day dowie, dowie the fowk aa roon,
I myndit, Stuart, the days we baith had seen
No that langsyne when you were juist a loon
In Sandy Bell's, in folk-song ceilidhs gien

154

By Hamish and yoursel, whaur I wad sing
Some auld Scots sang or twa amang the lave.
Hou could we then foresee the weird wad ding
Ye doun sae early inti yon gantan grave?

I muse on your life, your darg, your lang years
Thirlit on the academic oar,
Your wife and bairns left ti their grief and fears,
The waste o your worth for Scotland, lang forlore.

And I bann yon juggernaut, the great god Car
That's claucht a victim nane o us could spare.

Epistle To David Morrison

Ye spier me, Dauvit, gin I'd care to pen
Some missive for your Scotian magazine:
Ay, that wad I, sae here I'll juist begin
Afore the Muse gets tired o me again,
And prove (sad news for some) as Mark ance statit,
Reports o my daeth hae been exaggeratit.

   Glesca bore, and Edinburgh bores me
Wi its toffee-nebbit wey o life that waurs me.
I cannae believe that speech wi a bool-i-the-mooth
Hes muckle adae wi beautie, or wi truth:
And wi beautie, believe me, I hae been
In love since mither's face first kythed upon my een –
Wi truth I daurna say, it's faur owre big
For ony mortal mind, as the Tay Brig
(Or Apollo Sixteen super-lunar rocket)
Is owre muckle for ony man's pocket.

   But you, Dauvit, in Wick hae found a hame
For your lyric spirit and its risan fame.
Mony hae turned their backs upon the citie
That rouses at warst our hate, at best our pitie,
And I mysel wes gled to flee the toun
And by the Lade Braes waters set me doun
To lave my fog-choked, Glesca-woundit saul
In caller air whaur nae sirens caterwaul,
My sperit's pores at last openin
To this wonder at creatit life that's been
(This sense o universal mysterie
Envelopan aa man kens or eer can be

155

As a candle-lowe's enveloped by the mirk)
And is, my constant centre, creed and kirk
Whaurin I worship that Realitie
Wes personised as "God", as Deitie.

But for Glesca I keep aye a tender flame
For the life and love it gied me wi my name,
My faither's *pays*, and by birth my ain
Tho I'm never like to bide in it again.
Decent poor we were, in Partick hoosit,
Workin-class, frae aa pretensions loosit
By the povertie that maks for neibourness
As asceticism maks, they say, for grace.
Edwin saw in it a labyrinth
Whaur virtuous youth wes butchert on the plinth
Ti a human monster misbred on the Clyde
In honour o its brute Satanic pride:
He's aiblins richt, and I'm a victim o't,
But the ships it built keep hauf the warld afloat,
And ony virtue God sees fit to bless
Me wi, I got in Glesca – my tenderness
For the puir, the hurt, the luckless and the lost,
The stricken bird, the pariah, the livin ghost;
My love o my race (Scots as weel as human)
My land and fowk, and the beautie that's in woman;
My socialist vision o the New Jerusalem
Whaur Blake and Marx (and I) sing the same hymn;
My hatred o injustice, the rulin-class
And aa that maks a people a mere mass.
They're no heroic virtues, weel I ken,
But worthier never drove a poet's pen –
Mine, Edwin's, yours, nor Alighieri's
Eroto-theological vagaries:
No even hypocrite Milton's, wha'd excuse
As godly love his randy lust for the Muse –
To "justify God's ways to man" – hou odd!
I'd raither justify man's weys to God:
Or wad I? Even I mysel
Wad damn maist o the weys o man to hell.

The weys o man, indeed! Beasts o prey
Are faur mair admirable ony day,
And I've lived sae lang near despair
At the daily outrage people dae the fair
Image o God we're said to be shapit in,
I'm near believin in Original Sin –
The antipodes o whaur I first began,
Suir o the Original Innocence o man.

156

I've said it afore, and yet again I'll say't,
There is nae monstrous action born o hate
But some o oor kind somewhaur or ither
Are daean it ti their born sister, brither,
Lover, wife, or some ither human bond –
Ye see it, man, yoursel, on ilka haund,
Bangladesh, Biafra, Ireland, Greece,
Whaurever war and commerce rape the peace
That ordinary fowk aa grein to live in
Insteid o this horrific age o grievin.

No juist in countries tho, this truth we see,
But in the very fowk we're livin wi:
A neibour runs amok in Usury's grip
And murders wife and bairns in their sleep;
Faithers brek their babies' airms and legs,
Mithers brand them on the fire-bars, fegs!
Here, a fellae rapes a bairn o ten,
There, a faimlie's mither's raped and slain...

Mair sophisticatit horrors tho
Affect even the pillars o the status quo:
An ex-Lord Provost o this ex-capital toun
Ti oor barbaric pyndin law's gane doun
Wi a young wife in a twin-suicidal grave,
Their hame less sacred nor a Neanderthal cave.
The law's been changed? Deil the bit o it,
The bailiffs every day are at it yet,
Haudan auctions o fowk's bits and pieces,
Gettan pennies for pounds, in fowk's ain hooses,
To support a superstitious misbelief
In a credit system neer bred aucht but grief.
An ex-capital toun, as I insist,
But by God it's no ex-capitalist,
And aa that bide in't hae to uise the system
Or Puirtith in his ranks'll suin enlist 'em.
Burns, as ye ken, had a word for coorts o law
(And anither ane for kirks and priests and aa)
But maist law's the sword o class pouer
In the sheath o usurpt usury secure.
And as Captain Heath and his bullies ruthlesslie
Betray us inti the fascist EEC,
We Scots are like to feel the tyrant's blade
Mair nor that o Cumberland or Wade,
As the workers feel the wecht nou on their backs
O the neo-fascist new industrial acts,
While commercial Fraud is gien mair pouers to fleece,
And aa west Europe follows Spain and Greece

Inti a feudal Christo-fascist horror
That can only lead ti greater Capitalist war, or
Bluidier revolutions nor we've kent –
A fryin-pan-or-fire predicament.

And as for Letters, man, ye ken yoursel
A makar wad be better aff in hell;
For compared wi the ordinary Scottish philistines
Deils are angels, or at least divines,
And in Scottish letters the philistine is king
Or, raither, the circus maister in the ring
Wha cracks the whip at artist and at bard
As round the circus they are ridden hard
By puirtith, ostracism and isolation
To entertain a betrayed, degradit nation
That turns normal values upside doun:
Whaur Treason, insteid o a halter, gets the croun.
Yon philistine traitor is thurghoot the land
The undisputit leader o the band.
His erse is in the academic chair;
His fuit's upon the printin-press's fluir;
His froun augments the cinematic mirk;
He yammers frae the pulpits o the kirk;
As childless priest he parent bards maligns
And their bairns' weal, like Scotland's, undermines;
Ti poetry, as ti life, he's given nil,
Yet, yon non-starter, Grieve's great shoon wad fill.
His word mocks God's upon the civil bench;
He fills the coorts o justice wi his stench.
In editorial office he's secure
And keeps oor mediocracie in pouer,
The Anglo guid abuin the Scottish best
The bad owre the guid, the warst owre aa the rest,
Promotan a Gresham's law in Scottish letters –
That bad works aye drive oot their betters.
And to demonstrate wha's captain o the ship,
Returns a Soutar wi a rejection slip,
While in periodicals, as Our Reviewer,
He provides, for them that dislike literature,
A lit'rary entertainment o a kind,
Cryin up his ain superior mind
Owre aa creative men, whase chief worth is
Their service to a bank-book – his.
In this great lit'rary cause oor philistine
Talent, merit, genius will undermine.
This laureate o the Reviewin trade will shit
On poetrie, trample it underfuit,

And brag that he himsel is juist as guid
As aa but the greatest o the Muse's brood:
I challenge aa and every sic young Turk –
Gie up reviewin, get doun to serious work,
Woo full-time the Muse o literature
Insteid o journalism's poxy whure.
Prove, gin ye can, your worth in adversitie
As outcast bard o a bad societie
Whaur the voice o the bard's suppressed throu aa the land
While the philistine's is loud on ilka hand.
Insteid o "working for a living", let ye
Live for your work, and see whaur that'll get ye.
Gin ye succeed, I'll be the first upcries ye:
Gin ye daurna try, I juist despise ye.
Bear witness o the truth, houever hard,
That, as dustman's worth his hire, sae's a bard.

   A bard sould hae responsibilitie
Ti his fowk, as weel's the Muse o poetrie,
And withoot losan sicht o eternal things
Gie temporal, tae, their place in aa he sings,
Haud the mirror up, indeed, ti the age,
And show whit it's duin tae God's image.
For tho at this age o horror I rant in pain
There's ae thing aboot it nae bard can complain –
It's rowth o major themes to feed his sang,
Tho to read maist bards my lot is cast amang
Ye'd think there was sae little for their pen
They'd fient a word to scrieve for common men,
But in their ain bit sels, like circus horses,
They prink and preen, ignoran the stars in their courses.
Aa menaced nature's cryin for their help;
Unparalleled vices demand the bardic skelp;
Vietnam orphans greet ti them in vain,
And Pak-raped lassies in the Bengal plain,
Screams o the tortured in Yankee-fascist Greece,
And o Bantus under Apartheid's wicked police.
Castro, Allende, heroicly create
A really democratic peon state:
Dubcek gaes doun under the Soviet heel,
And the Russian Muse is in a new age o Steel;
Sacrificed ti the mighty moloch, Oil,
Millions o Ibos dee'd to defend their soil:
Brazilian forests reek wi the genocide
O naked tribes wi nae sins to hide.
Aa sic things cry oot for a poet's pen –
Which o our bards hes sung them? Whaur, and when?

They're maistly mair taen up wi their ain salvation
Nor the fate o their ain, or ony ither, nation,
Or in "Getting-on" in their comfy bourgeois jobs,
Keepin-in wi Pouer and Anglo-Establishment nobs,
To scrieve poems owre true to be polite –
Poems that no juist girn, but snarl and bite.

The main reason I'm still in this trade
Is to get some poetrie meets my real need,
For gin I relied on maist in our vocation
I'd langsyne dee'd o poetrie-starvation.
It's no o lack o talent I complain
But o proper ambition to shouder aa the main
Poetic tasks o this too epic age
That sets the Muse and Heaven in a rage.
Poetrie at its best's a social art
Rooted in life, no a thing apart
For private mirror-gazers, amateurs,
Trend-setters, hunters o sinecures,
Fashion-mongers, doodling poeticules,
Concrete-mixers, and ither poetrie-blin fules.
We've lost the people, and they're the life-bluid
O nearly every poem that's ony guid:
No juist here in Britain this is true,
But the haill white-man warld throu and throu.

For we Scots the problem's deeper still,
For the people hae lost theirsels – a greater ill
That stems frae the Union Treaties, the deceit
Betrayed oor state, tongues, arts, a defeat
Neer bocht by enemy bluid on the battlefield
But a rulin-class sell-out, signed and sealed.
Burns (or aiblins Scott, baith ill-starred)
Wes the last poet o the fowk, a social bard
Nearer their voice nor ony o his betters
(Henrysoun, Dunbar) by the same fetters
Thirled as them, battered inti his grave
By the same financial crooks as ony wage-slave.
Sinsyne, even the best o us hes been
Impaled upon the very gifts he wes gien
(MacDiarmid, even Muir), and hes gane
Doun singin, a wilderness voice, alane,
Unheard by the very fowk are maist in need
To hear his voice, to drink his Muse's meed.
Whit a Scottish poet wants the-day's
No genius, but the strength o Herakles –
Tho even that could never integrate
A nation desertit by its ain state.

Nocht can end the chaos and the worry
But oor ain government here in Edinburgh,
For only wi oor ain governing centre
Can oor hoose flourish, and the Muses enter
And be at hame, their bards hae peace to think,
Nae mair to wander like ony outcast tink.
The so-called problem o identitie
Is this – a government to identify wi;
And that nae London government ever can
Be for a born and bred Scottish man.

    On that thocht I'll leave ye – Dauvit, I am
Yours for this, and every, nation,
                    Tam.

Second Epistle To David Morrison

The epistle-scrievin habit, Dauvit,
Can fairly get ye under the grauvit
And cowp ye in a wordy creel
I canna claim is aa that weel
Thocht o by oor poetic betters:
But whit else d'ye expect frae a man o letters?

Ane o the lesser current jokes
Is me caa'd parochial by blokes
Haena a tithe o my wide-set
Experience, the fowk I've met,
Lands I've traivelled in and kent,
Cultures wi which I am acquent
No juist throu books. The Ibo, Hausa,
Yoruba abuin them aa
I've lived and worked and suffered wi
Till I felt them gey near pairt o me.
I've knocked aboot in Italie
And had my casa in Sicilie
(At San Leone, mouth o Akragas)
Slept wi Tamils and talked wi Nagas,
Gane throu Belgium, Deutschland, Austria,
Run the length o Yugo-slavia
On inti yon tragic Greece,
Nou tramplit by a dictator's police,
Whaur I've sat ablow Athens' skies
Lauchin at Aristophanes
Actit in the open air
Whaur the Parthenon leamed in muinlicht there.
The Corinth Canal I've sailed richt throu

En route for Ithaca and Corfu.
I've drunk my vino, delivert daily,
Near Munthe's palace o San Michele:
Struck throu the Alps by train frae Bari
And gorged my een in fleshly Paris.

For fourteen year, or mair or less,
I wes furth o Scotland's national mess
Servin first in the Nazi war
And syne by my ain weird kept afaur
Frae whit I suppose I maun caa hame,
Seekan a centre raither nor fame.
A centre is whit Scotland lacks
(Even gin only for gaitheran tax)
For a culture revolves on its governal nub
As the spokes o a wheel dae roond the hub.
Paris, London, Rome, even Lagos,
And Camoes' toun upon the Tagus,
Is a capital centre, thrang alive
Like a queen bee in a busy hive –
Even Dublin's a capital city
While Belfast is a place for pity
And Embro, bonnie abuin the lave,
Is little but oor national grave.
The young Scot seekan his heid o State
Hes nae choice but ti emigrate.

And as wi the body, sae my mind
Early left Scotshire behind,
Ranged owre the warld in map and book,
Took the haill earth for my special neuk,
My earliest poetry names o places –
Karakoram, Guam, Marquesas,
Kangschenjunga, Rajputana,
Roanoke, Indiana –
Magic names to conjure wi,
The primal stuff o poesie.
A boy, wi Ballantyne I wandered
The globe, and later on meandered
Wi ither traivellers owre the earth,
In mony a braw ship had a berth
Wi Columbus, Raleigh, Magelyon,
And mony a strange land goved upon.

No juist wi space I thus made free
But the haill o time in historie
Frae Minoa, Crete, and Sumeria
Doun throu Egypt and Assyria

Ti Gibbon's Rome and Byzantium –
And guessed at eras yet to come.
Some o aa this I ance set doun
In an earlier poem, 'The Mankind Toun',
That tells as muckle o young Tam Scott
As could in siccan form be got.
Imagination's maist at ease
Wanderan wide owre the warld seas,
And maist constrictit here at hame
Whaur envy and hate defile my name
And the Scotch urge to minimise
Wad cut me doun ti quarter-size
And cram my genie back in the bottle:
They'd a tried the same wi Aristotle!

And as wi social historie,
The historie o philosophie
Hes been pairt o my grazin-ground,
Tho I mak nae claim ti ony sound
Ken o the metaphysical –
A makar's mind's mair practical,
Tho baith Muir and Grieve this centurie
Hae deepened Scottish poetrie,
Pushed Reason ti the very brink,
And taught oor poesie to think.

Wi aakin studies I'm acquent,
Wi springs o aakin lore am sprent,
Tho nane I ken as weel for suir,
As Scots and English literature.
I've aye browsed in nature lore
And, hauf a mystic at the core,
Dabbled in Hindu mysticism,
Boehme, and neo-platonism:
But the mair I probed the mysteries
The mair I learned o social disease,
And the mair I "lifted mine eyes to the hills"
The mair I saw o mankind's ills,
And find my last my first position –
A deep concern wi the human condition.

And tho I've shared a pub wi Dylan
I've also roistered wi Frank Villon
And the Coquillards in Parisian stews;
Walkt a Florentine mews
Wi the prince o poets, Maestro Dante,
And shared his exile wi Can Grande.
I've seen throu Baudelaire's mask o sin

The saintly hert o the lad within,
Hou stricken in his very brain,
He set ti music his mortal pain:
And his treatment o his worthless Jeanne
Vindicates him as a man.

I'll bet ye, Dauvit, aa my smaa change
Few brither bards can ding my range.
But even an albatross maun hae
Some skelf o rock whauron to lay
And hatch its eggs, and Scotland's mine –
Deil haet o it I'll tine
Ti English birds that come a-reivin:
And there's nae fear o me thievin.
My work, as ye ken, bears aa this oot
Ti aa but the critical blin-deaf-mute.
Yet they caa me "parochial", "nairrae" – jings,
Wha but Grieve spreads braider wings!

Ane o the things that's aye impressed me
(No to say that's aye depressed me)
Is hou I, even wi twa degrees,
Am aye at a loss to raise the breeze,
For society hes an unwritten law
That says "poets shouldnae eat ava",
And ilka scholar and gentleman
(Like ony common philistine)
Is aye ingenious findan excuses
Why a servant o the Nine Muses
Should be refused a dustman's pey
For scrievan verse that'll byde for aye –
Or at least as lang's oor lot survive
And a few o them care to keep Scots alive.
For some it's your face that duisnae fit,
For ithers the wey ye lace your buit,
Or kaim your hair, or lift a cup,
Or the wey ye haud yer trousers up:
But whitever it is, wi little fuss
They imply "you aren't one of us" –
And that means you, your wife and bairns
Can gie awa your eatin-airns.
I've said a man can mak a "wage
Frae near aucht adae wi language
Binna whit maitters abuin aa thing –
Scrievan verses that can sing".
They'll pey ye to exercise your jaw
In aakin blethers and empty blaw,
Lecturin, tutorin, teachin schuil,

Playin the academic fuil,
Scribblin for papers and magazines,
Sellin brushes, cleanin latrines,
But deil the maik for servin the Laurel –
Jehovah, thon wad be IMMORAL!
Scholars and gentlemen decree it,
Christians and socialists aa are greeit,
Even some writers hae the nerve
To pronounce it – "Poet, thou shalt sterve,
And sterve, tae, shall thy wife and weans!"
In a voice like God's – but the face is Cain's,
And Abel's bluid cries frae the ground
Ti a God whase silence is mair profound
Nor even the deepest deeps in the seas,
Or His ain cosmic mysteries.

A man should SUFFER in his employment,
And poetry, like sex, is eident enjoyment.
Pey a man for enjoyin himsel?
Jesus, thon's the wey ti hell!
Sae wi the lash o puirtith flay him
And flog his wife and bairns wi him.
Dauvit, as suir as God's in Hevin,
Wi the mark o Cain I curse yon livin
Whitit sepulchres, and condemn
Their middle-cless weys o life wi them.
May the fowk follow Yeshua's example,
Scourge thir rascals frae the temple,
Their Mafia cabals extirpate,
And the earth ti fellowship consecrate –
A fellowship o equal shares
In God's provision for His heirs
As the birthright o ilk bairn alive:
A birthright naebody can deprive.

That's whit COMMUNITY really means –
Equal shares in providence.
Gin ye caa this statement ti account,
Tak a look at the Sermon on the Mount.

Ach, but hou my tongue rins on –
And you, I ken, are a busy man.
But as philistine outrages fill
My veins wi satire, I let spill
The pison oot in cleansan lines
That may purge even the philistines.
But Dauvit, I'll say nae mair the-nou
Binna to wish the best for you,

For Edna, Glenna, and wee Ewan
(May his better health be suin ensuan).
I dout Jock Knox's finger's in
This flytin o oor social sin:
But I o my ain guilt stood confest
Lang or I socht to wyte the rest,
And I nane but the unrepentant damn,
As weel ye ken,
Yours truly,
          Tam.

I've Tint My Bairnskip

frae Ungareti

I've tint my bairnskip entire
And cannae ony mair
Greit mysel asleep.

Bairnskip I've buryit
In the mirk o nichts
And nou, an unseen claymore,
It twines me frae aathing.

Nocht o mysel I mind but hou I lued ye,
And nou yon glorie
Is tint in endless nichts.

Intil wanhope aye maturan,
Life time's nae mair
Nor a harsk skelloch
Stuck in my thrapple.

Me A Craitur

frae Ungareti

Juist like yon ashlar stane
there in the kirk-waa
juist as cauld
juist as dour
juist as bane-dry
and every bit as thrawn
juist as allutterlie
wantan saul

Juist like yon stane
is the greit in my hert
dern ti aa een

Daeth's lawin
I pey
livin

(Ravine Quattro Cima, 5th August, 1916)

Quand Vous Seriez Bien Vieille...

frae Ronsard

Ay, when you are auld and left yourlane
In a hauf-lit room dozan forenenst the fire,
Ye'll mind this poem – or read it in some quair –
By Tam Scott scrievit in lang-remeidit pain.

Syne ye will mind the time, my bonnie ain,
His love he rantit in the caller air,
And sawed his poet's kisses in your hair,
Afore ye lichtlied baith in prood disdain.

He himsel will be under the mool, his bane,
Gien owre by the frugal worm, nou bare;
And you, tae, by Daeth will suin be taen,
Aye greinan for the love ye'se get nae mair.

O come while ye can, your beauties willna bide:
Mak for the shore while aye it's rinnan tide.

Aberfan

Mountains of black slurry lour above
The village drowsing there in the vale of Taff.
In spring the valley is green, the croon of dove
Mingles with the plaint of lamb and calf.

Farming land till a hundred years ago –
A scene of "faery loveliness" said Borrow.
But black gold was lurking layers below
And Industry moved in with his train of sorrow.

The village is a mining-camp in stone:
Aberfan was never a market-town.
It lived by coal, and lived by coal alone
Until by coal it has been now put down.

On a sunlit autumn day, past nine a.m.
A black landslide swooped down on the school,
Its pupils and their teachers, drowning them
Like a sack of puppies in a pool.

Shall I carve out for them the sculptured rime?
Or let the hurt thrust through like splintered bones.
Should I build up the elegy sublime?
Or grudge the syllables like tears and groans.

I shall not mock the gravamen of their death
With cheap-wrung sorrow snivelled on a sleeve,
Nor prate of afterlife like the dupes of Faith:
It's for the loss of their only life we grieve.

For over a hundred children's deaths we mourn:
For more than two hundred bright eyes drowned in tailings:
For a generation from its parents torn
By greed, indifference, and what not human failings.

Take pupil and teacher smothered in the school,
With folk in their homes – a gross of lives in all
Gone in an avalanche of waste from coal
Drenched in water, gone in a single fall.

How little time before, their living cry
In the playground rang, the world in miniature.
Now the black palls above them lie.
That world of noisy life will sound no more.

The river and the streams along the vale
Will never hear again the shouts they gave.
Their paper boats no longer on them sail.
The cradle of their souls is now a grave.

These homes that knew their voices, knew their cries
(To parents' ears no doubt at times too well)
Will hear that sound no more, and anguished sighs
A numbed silence, tells a sorrier tale.

There are such depths of anguish, depths of pain
As words can only hint at, not express:
Depths of feeling unknown to the sane
Who'd only charge the poet with excess.

Grief must be rehearsed, the wounding scene
Lived and relived, mouthed and mouthed again
Until the mind lets go of what has been:
Or fails, and makes an art-work of its pain.

So the grief that swept through Aberfan
The soul alone can fathom, not the pen.
Yet horrors have been our lot since we began,
The worst of them the work of callous men.

See Alexander's holocaust of Tyre:
Cartago pulverised by Scipio:
Dorian Corinth put to the sword and fire:
The atrocities of Spain in lost Peru.

In our own time, Biafra's millions dead:
The crimes of the America-Vietnam war:
Starvation's toll in lands deprived of bread:
Chile's ordeal; Haiti, San Salvador.

The second world war's obscenities –
The death-camps, Dresden, cities of Japan,
The U-boat war, SS atrocities –
Abominations foul the name of Man.

These children might have lived to know a fate
Even worse than this one we lament:
Slowly roasting in nuclear fire is yet
More terrible than even this accident.

But still worse than a death by atom bomb
Will be the fate of any left alive
On a planet then become a living tomb,
Envious of the dead while they do survive.

The man-made desolation killed these few
Menaces all creatures alive today.
Such evil powers as Hitler knew
Certain business magnates hold in sway.

Pollution blights the land, sea and air,
The rivers and lochs of almost every land.
Coal's successor, oil, for want of care
Martyrs birds on many a sad sea strand.

Eyeless Profit threatens all living kind
With extinction – elephant, rhino, whale
And other species, Indian tribes consigned
To annihilation in the forest of Brazil

So that the lunatic money-grubbing race
May reap ephemeral gain from the wealth of ages:
Millenial trove Millenia can't replace.
War against Earth herself on all sides rages.

Economists enslaved by the insane system
Tailor the peoples to suit their theories
Instead of shaping theories to them.
The one-time benison, money, is now a disease.

These children will not know what may ensue
From nuclear fission weapons none can ban
Poised to end the vital world they knew
And make the whole Earth a monstrous Aberfan.

In this Janusian coronach do I
Bewail past lives or multitudes unborn?
Is it only for Aberfan I raise the cry?
Or is it for all creature kind I mourn?

I do not know, but know that in my soul
Some terrible grief demands its music still,
A mighty pibroch to resound and roll
Through ear and mind, a music that may fill
Our hearts with such solicitude for life
As ends all wars, all senseless human strife.

Incident On The Golan Heights

Syrian and Israeli tanks in battle,
Blasting each other into Kingdom Come,
Are startled by a man driving cattle
Over the bare ground separating them.
Unhurriedly he steps, as though no gun
Had ever roared destruction of our kind,
As herds in the time of Abraham must have done:
The firing stopped as though a peace were signed.

So I have known a raging maniac,
Rending the heavens in superhuman ire
Out-Learing Lear, suddenly turn and see
His own wild face in a mirror at his back:
All his fury died like a dampened fire
And his face regained its human dignity.

Birth Of A Poet

As love is born when boy and girl meet
And lie out in the dunes, or by the burn,
Or down some lovers' lane upon a seat
Explore their sex, the boy's hand in turn
Feeling breast and buttock, fondling the sepalled quim,
Rousing in each a passion they both fear
To yield to, till at last the force in him
Drives through in ecstasy – exquisite, sheer:

So the young scribbler dallies with the Muse
In verse that stirs but never satisfies,
Achieving only surface excitation,
Until one day he feels some power enthuse
The poem, his ord'nary self in orgasm dies,
And he learns the bliss and anguish of creation.

To A Young Poet

Carving out a road no foot has trod
you will go again the way we all must go,
suffer again the fate of Everypoet,
though only near the end, perhaps, you'll see it.
The Muse deceives, implying to each lover
that he's the one and only in her love,
but in fact her promiscuity's a scandal.
Now in MacDiarmid's bed and now in Campbell's,
as she receives the homage of a Graves,
Eliot behind the curtain smiles
and Dylan's reeling drunkenly down the stair.
And sometimes when you misdream you've enjoyed her
you wake to find some shallow slut in your bed.

There's little I or anyone can say
to help you on, though one would like to think
that youth might gain from age's hard-won lore.
Master your trade, the craft of verse, the forms,
put yourself to school with the late and great,

translate, imitate, emulate, create:
these for us are the gradi ad Parnassum.
And no matter how high you climb, they've gone before.
Genius makes Pentlands of talent's Cairngorms.
Poetry is, or seems, a primitive art
rooted in the guts and passions,
and many people thrive without such things.

You will meet the usual sirens on the rocks:
"working for your living", not living for your work;
playing the bourgeois game of Getting On;
appearing in public, personality pushing;
sucking in with bureaucrats for power;
all the substitutes for lonely work
that cozens talent into time-serving,
filleting work of its eternal merit.

You will see mediocrity advanced
for making all the right political noises
while merit is reviled for its rebellion
(and all art is unending revolution)
or banished into poverty and neglect.
You will find the wilderness a better place
I hope, and better company, than all
the dinner parties of the ruling cliques.
Nothing can save you from the philistines
who have their fifth column among critics:
and even what encouragement you get
as like as not will be for the wrong reasons.
Success? To be praised by the best and damned by the worst.

The great poets were all social poets;
Homer, Virgil, Dante, Chaucer, Shakespeare,
Milton, Pope, Dunbar and all the Scots.
But where today will you look to find a bard
writing of the really central things
that matter to us and the future of the Earth?
The less a poet says, the more he's heard
in the vacant halls of the Establishment.
The more he says, the more he finds ears deaf
in an age that cannot face the need for change.
Earthkind's friend must hike a stony road
to a modest grave, no banquet, at the end.

Your journey will be haunted by a goddess
often looking out from a woman's eyes
so that, to your and her confusion,
you worship her there, marbling the nubile flesh
and stirring up a hell's brew between you.

Girls are not goddesses, nor were meant to be,
but humanimals with quims between their legs,
wanting to be fucked by brute males,
not Muse-worshipping bards to kiss their feet
or deck them out with sonnets to their eyebrows.
Idealism takes no knickers down
and girls want put on their backs, not pedestals.

Dante's muse came only when Bice died,
and she's never been discovered in the flesh,
however poets seek to find her there.

Too sore a fate? Then try some easier road.

For Hersel

I've huntit antelope on Safari
On Africa's fawn and russet plain.
The mountain goat I've socht to harry
Amang the Pyrenees o Spain.
I've ranged owre hauf the world for quarry,
But aye the trail wound hame again,
As eftir the langest nicht on foray
The fox returns til its ain den.

La Condition Humaine

When you think of this unknown reality,
This universe in all its mystery,
The Earth's but a grain of sand in an endless shore
And a candle in the dark is all man's lore.

The howl of a wolf in the vast Siberian night,
A blind bairn's yammering for the light,
A beggar's knock on an empty mansion's door,
Or a candle in the dark, is all man's lore.

Your firmest faith is but a feeble notion,
A raft adrift upon a measureless ocean
That's never known a sail, nor an Argo's oar.
A candle in the dark is all man's lore.

What's all your art but voyaging in the mirk
By the soul launched from its long-outworn kirk
And battered by the typhoon's rage and roar?
A candle in the dark is all man's lore.

All your science, all your Philosophy
Are smothered deep in fathomless mystery
And always will be as they were before.
A candle in the dark is all man's lore.

Look where you will, the wisest and the best
While here on Earth as nature's fleeting guest
Knew that, however his thought aspire and soar,
A candle in the dark is all his lore.

So Lao-Tse saw in water the living force
Shapeless yet shaping, rules the cosmic course,
And in Science saw but a seductive whore.
A candle in the dark he knew our lore.

Yon Thracian singer, Orpheus, in his pain
Cried for his buried nymph to rise again,
But his only answer came on the wind – *no more*.
A candle in the dark, his bardic lore.

Even Siddartha, the "Enlightened One",
Knew that, compared with the supernal sun
Whose beams through the entire creation pour,
A candle in the dark was all his lore.

Wisest among them all, great Socrates
Claimed he knew but nothing all his days:
For which he was called the sagest Greek of yore.
A candle in the dark he deemed his lore.

His giant disciple, Plato, would confess
The same, or else that he knew even less,
Though the weight of the real (the ideal) world he bore.
A candle in the dark was all his lore.

And Rabbi Yeshua, for God mistaken,
Found himself on the cross by God forsaken
And died despairing, in anguish and in gore.
A candle in the dark his Jewish lore.

Mahomet, when his hour came, cowered to hear
The angel's words, and hid his face in fear,
Knowing that, like his eye in the robes he wore,
A candle in the dark was all his lore.

Your gurus find their universal way
Not in any science known today
But hidden in the shy lotus core.
A candle in the dark they know our lore.

The mystic seeking union with the Whole
No better deems the broker's manic yell
Than the opium-addict's world-weary snore.
A candle in the dark he rates our lore.

Einstein, Whitehead, Russell and many another
Knew but little more than his bushman brother
Compared with all the cosmos has in store.
A candle in the dark was all their lore.

See all those academic types who prink
And preen in snobbish clubs, although they think
Their barren minds O so superior –
A candle in the dark outshines their lore.

And you who think that God, like Everest,
Can be climbed up and taken by conquest –
Hunting whales on the moon's an easier chore.
A candle in the dark is all your lore.

Or you who dream the finite human brain
The whole of the infinite cosmos can contain –
Give up such power-notions, amadan mhor!
A candle in the dark is all your lore.

So we guests here on Nature's sufferance
Must treat our hostess with due deference,
Mindful of the unpayable debt we owe her.
A candle in the dark is all man's lore.

The Bards

Sea and Wrack. The bitter tide.
Gull screams against stone cliff.
Tiger claws at the harbour wall
Searching, seeking.
Old enmity of land and sea.

How these years have flowed over us
How rived at the rock,
Wearing, tiring.
But rock held,
Land firm against gnawing tide.

And when these decades shall have done
Death shall be no stronger to kill
Than life to turn attack.
Days and nights
Over us have gone, ourselves have gone over.

But not under.
We are the ancient seamen,
Eye strong to face the wind.
Gnawed at by the sea's creatures,
Pincer and sucker.
Know we her moods, her briny ways.

Faithful to the wave-slap
Riders of the bucking horses.
We know the fulmar's lingo,
The frigate bird's blether,
Converse with the petrel:
Sing up with the banshee out of the storm.

Earth has not loved us,
Our home we have made
In the heart of the enemy
Like the whale and the porpoise,
Pushing land's luck on the eternal ocean.

Eternity wears our names like medals.

Villanelle De Noël

The robin owre aa birds is blest
At this time o the year, Nowel:
The bluid o Christ is on his breast.

Frae Sicily ti Hammerfest
The bairns relate the sely tale:
The robin owre aa birds is blest,

For on Calvarie he tried to wrest
Frae Yeshu's palm the cruel nail:
The bluid o Christ is on his breast.

Sensyne he's been Yuill's dearest guest,
Nae ither sae welcom as himsel:
The robin owre aa birds is blest.

He wears the Yuilltide like a vest
And his sang's the peal o a ferlie bell:
The bluid o Christ is on his breast.

Nae starred and medalled hero's chest
Can eer wi greater merit swell:
The robin owre aa birds is blest.
The bluid o Christ is on his breast.

D.H. Lawrence

Literary genius in a miner's son,
A misfit he was born, a misfit died.
Nerves of silk thread finely spun
Exquisitely responded to the world outside
Yet tuned to the world within, his work in the main
A stringing of reality on words.
Flowers adored him, trees, the sun, the rain
Gave up their secrets, as did the beasts and birds.

And women, who divined his Orphic pain,
He gave a glimpse of their lost paradise.
Birthed from his working-class, his heart and brain
Instinct with its values, none other could suffice.

He sought in places far from Lambeth, Rome,
The dark gods left in the pit at home.

The Bearin O The Gree

I fell in love wi Kate at sicht,
And let whitever ills come tae me,
No even Daeth can whittle frae me
The witness *that* bears o my licht.

Her een wi love were lowan bricht,
I saw ayebydan bewtie in her;
And tho it wesnae mine to win her,
I fell in love wi Kate at sicht.

Tho trauchles fret me day and nicht
And philistines and fae defame
Me, my work, my saikless name
This love aye sets me abuin their micht.

And when my tale o wrang and richt
Is reckont up, gin hell's yett yaws
The lawin will be waived, because
I fell in love wi Kate at sicht.

Chaliapin

A man too big for society's ready-made,
The outsize drama had to take him on.
In regal robes and furs he went arrayed
As Boris Godunov, or Tsar Ivan.
A stalking statue, twice as large as life,
He strode through roles, in each a paragon.
Melpomene was proud to be his wife:
Great bass, great actor, the successful man.

Successful? Was not his giant art
A mausoleum round the buried youth
Kazan and misery taught a tragic part?
Did he never yearn for an exiled self, like Ruth,
Or hear, as from the damned in the nether deep,
His mother Russia sobbing in her sleep?

To John Maclean

Marx your faither, your mither wes the Clyde.
You were true throu aa your life ti baith.
Whaur they conflictit, it wes sair to side
Wi either, and atween the twa, in fear and faith
You struggled ti manhood. Lenin set the pace
And the socialist world wes cast in a Russian mould –
The yae pattern, it seemed, for the human race:
Ither lands to be sheep for the Russian fold.

But the Clyde maun find its ain wey oot ti sea
And you (like Marx nae Marxist) glegly saw
(As did Tito later in Yugoslavia)
That ilka land its national weird maun dree.
Sae wi Marx's tools ye wrocht the Scottish nation
A socialism for Scotland's ain salvation.

James Maxton

Made by the Clyde and unmade by the Thames,
His words were mair volcanic nor his deeds.
We honour his passion, honour his noble aims
Mair nor aucht he achieved for Scotland's needs.
Mithered by Glescae, frae her iron dugs
He sucked his love o the sufferan human race:
Grieved owre the scabbit bairn in its bed o bugs,
And kendlit his ire at ilka stairvan face.

Born o a man-made wasterie o stane,
He wrocht to mak yon desart burgeon green,
Gar new sang braird frae its mirk hert o pain;
And his vision-torkit mind and hauntit een
Claucht sicht o, throu ilk beelan Glescae slum,
The lineaments o New Jerusalem.

The Achievement O Jamie The Last

Blest in King Bruce, maistly accursed in his line,
Scotland, in yon wangettin o a king,
Consecratit Treason on her throne.
I cannae, in truth, say ony kinder thing.
Brainy, like aa his kin, but dim in saul,
Our kingskip's meanin he never jaloused aricht:
That the Croun but stood for the Scottish common weal.
Our ship wes wrackt on a pedant's blinteran sicht.

Say aa in his defence that can be said,
His mitherland he sacrificed ti himsel.
By his 'divine richt o kings' misled,
His son, his grandson, the House o Stewart, fell.
 As the dog in Aesop's fable tint his bane,
 Sae the greed that socht twa kingriks endit wi nane.

The Swan And Leda

(a riposte to Yeats)

Caught by her beauty stripped in the Spartan stream,
His godhead shaken by that swan-white shock,
What could he do but emulate her flame
That turned white-molten his Olympian rock?

Seduced, as Eros was by Psyche, Zeus
Swanned for a river love his marble power?
Glided upon those limbs, resistless, loose,
And trod her as her soul's familiar.

Held in that white womb of ecstasy,
Divine beauty, nemesis, might, he gave
To mortal flesh in that immortal day:
Sired Ilion rased, Agamemnon's grave

And his murdering wife slain by their only son,
Whose trial Zeus's motherless daughter won.

The Tenant

God inhabits me. How strange,
For I'm not him and he's not me.
Both of us would have to change
Before one could the other be.
Yet God inhabits me. How strange!

The Rose O Magdalene

Flouers in Venus' bouer hae aye been rife
Frae earliest times in Crete, in Babylon,
Doun ti the present's girlfriend, mistress, wife:
And mony a peerless bloom amang them shone.
I worship history's goddesses o life
Tho their faur-famed bewties I hae nevir seen.
But as suir as Maggie Lauder wonned in Fife,
There's nae flouer like oor rose o Magdalene.

Queen Nefertiti blossomed on the Nile
Whaur later Cleopatra shook the world
Wi her bewtie and her super-womanly wile
Till frae her throne wi Anthony she wes hurled.
Samson's hair wes reft bi Delilah's guile;
And even greater wemen there hae been,
Flaunting their bewtie like a flag unfurled.
But nane sae braw as oor rose o Magdalene.

Wemen throu their men, I hear it said,
Hae wieldit sceptres, ay, and worn the croun:
Byzantine Theodora wes sae arrayed.
Tho a circus whure she held an empire doun.
Even Augustus ruled beneath the shade
Cast by imperious Livia, his queen.
But tho thir wemen great impressions made,
There's nae flouer like oor rose o Magdalene.

Leddies, wyce in love and things o the hert,
Let your true deemin o the case be gien:
Is this no honest truth that I assert?
There's nae flouer like oor rose o Magdalene.

Sang For Valentine's Day

I ken ye nevir can be mine.
Braid's the burn atween you and me.
But for this day be my Valentine.

O young star in your bewtie shine!
Fearna the candour o my ee.
I ken ye nevir can be mine.

Nae pouer on earth oor lives could jyne,
But let me admire the form I see,
And for this day be my Valentine.

And thinkna ye, tho my life I tine,
I'd evir hairm ye willinlie –
I ken ye nevir can be mine.

The shape ye mak in space, your line
Your grace o gait, are aa my fee.
For this day be my Valentine.

Gin my hert evir fleggit ye, queyn,
It wesnae meant, schemes *gang* agley.
I ken ye nevir can be mine.

I'm a lover o the sacred Nine,
Naebody's thrall I'll evir be.
But for yae day be my Valentine.

Like the Beast for Bewtie I maun pine,
And whaur I see her I canna lee
Tho I ken she nevir can be mine.

I'll drink to ye baith a stoup o wine –
Guid health and love, may ye aye live free!
But be you this day my Valentine.

Oor hands will nevir intertwine.
Oor weys divide relentlesslie.
I ken ye nevir can be mine.

I til the grave maun dounlins dwyne.
You, like the sun, maun rise on hie.
But for this day be my Valentine.

Sae dinna jib at my tribute syne,
But freely tak this flouer I gie.
I ken ye nevir can be mine:
But for this day be my Valentine.

The Bower

There is a bower I know
That's of no fretted trellis interwoven
   With twigs and leaves below
   Where shy flowers grow
On branchery by no rough woodman cloven.

   It is a mystic bower.
A bower no hand composed, no brain designed:
   Wrought by no conscious power
   Like mediaeval tower;
Intangible, an arbour of the mind.

   Yet therein, hour by hour
Two bodies in the mystery conjoining
   Where no rainclouds lour
   Threatening winter shower,
Our two selves as one are intertwining.

   Our bodies hold the key
To that bower of flawless bliss where three are One,
   Life, and you and me,
   The apple back on the tree,
Adam and Eve in Eden, not yet undone.

   There we are made free
Of a city's never known the mason's mell
   Or the money-grubber's fee;
   Where the only law's To Be,
And drink the waters of life's holy well.

   Our bodies here commune
Each one the temple of the other's soul,
   At midnight or at noon
   In music of no tune
Communion flawless, mystical and whole.

   But though we enter this
Sublime apartment by the body's key,
   The intersexual kiss,
   It is the spirit's bliss
That brings such love and peace to you and me.

   Sometimes we feel as though
A god and goddess, lacking flesh and blood,
   Borrowed ours, and so
   A divine interflow
Swirls us up on a supernatural flood.

And yet we stand apart
When called to separation by the hour;
   But confident in heart
   By love's alchemic art
We may again re-enter our love's bower.

Empty Nest

"Ma, senza lei, che farò?
Mi par così la vita vana cosa
Senza il mio ben."

This was your room and is no more,
Your absence fills it up with pain.
Your dressing-gown hung upon that door
And never will do so again.

So eloquent my grief should be,
But the words are laggard and will not come.
My hurt should erupt in poetry,
But my brain is lead, and I am dumb.

Where is the poet's singing heart?
Love has been sorer far for some
Who still have enshrined it in their art.
But och, the hert is heavy, cauld and numb.

That was your chair and this one opposite
Is where I sat so many a night
Fulfilled by your presence, content to sit
And look, and talk, and bask in your light.

Here so often we have drunk
And talked and argued the stars from the sky.
That was your bed in which we sunk
To sleep together, you and I,
Till love and the day woke us together –
O the heaven and hell of memory!

But it is not now, forever gone.

Go with my blessing, don't forget
Our love, your way leads up and on.
For me another course is set
Today, or tomorrow: but not just yet.

Age And Youth

Who freely mates with youth
Freely must let her go.
But to learn this salient truth
The ageing heart will know
Dignity brought to its knees,
Pride dragged through the mire
And trampled on with ease,
Yet no end of desire:

The torture chamber's rack,
How hot the fire can burn,
The lash upon his back,
The thumbscrew's groaning turn.
And when the lesson's learned
And one is left to thole,
All purgatory earned
Is an absence in the soul.

Why then should a man
Put up with such a fate?
Better to abandon
Both love and hate.
Though hell I should inherit,
The only other way
Is denial of the spirit.

Absence

The loch is still where it was
With the swans and mallard on it.
The hill still towers above,
Alive with finch and linnet.

The island is still there
And in the quiet water
The willow still dips her hair.
The swallows hurtle and twitter.

Everything is as it was then
When we lay here in our bower of bliss,
Two in one,
Except this:
I am alone.

Lament For Eurydice

Your absence is more pain than I can bear
    Eurydice,
The loss a kind of gralloching of soul.
What is this world to me and you not there?

The burden laid on me was less than fair,
Not to see your eyes a cruel toll,
    Eurydice.
Your absence is more pain than I can bear.

Descent into hell again I'd gladly dare
    Eurydice,
For while you're in it I've no better goal.
What is this world to me and you not there?

What can I know of paradise but where
You are, be it heaven or hell, or the Arctic pole,
    Eurydice,
Your absence is more pain than I can bear.

Are you and I not one, and no mere pair
    Eurydice,
Either apart but one half of the whole?
What is this world to me and you not there?

If you cannot be here, better I share
Your fate, so each with other may condole,
    Eurydice.
Your absence is more pain than I can bear.
What is this world to me and you not there?

The Eftirstang

The eftirstang o love in the dainshoch hert
    Mony a love-mail fyles.
Baith lad and lass ken weill the broddan smert
    That stogs throu lovers whiles
As, spelder-haughed, they dwaum in ilk ither's airms,
The grieshoch aye alunt in lends and thairms.

        But whaur's the lad or lass
            Because of this
        Wad ettle to bypass
            Love's bield o bliss?

Lost Love: A Duet

First Voice

Mourning for lost love is vain
Anticipation of the grave.
Let me take away your pain.

That what is done is done is plain,
The goddess took back what she gave.
Mourning for lost love is vain.

You cannot call it back again,
But you have still your life to save.
Let me take away your pain.

Too much grief is mortal bane.
Light buried in a darkened cave.
Mourning for lost love is vain.

Come out in the wind and rain
If not the sunshine, and be brave.
Let me take away your pain.

Come to the glen where deer have lain
And let its rill your body lave,
Mourning for lost love is vain.
Let me take away your pain.

Second Voice

Mourning for lost love is vain
Anticipation of the grave.
Come and take away my pain.

That what is done is done is plain,
The goddess took back what she gave.
Mourning for lost love is vain.

I cannot call it back again
But I have still my life to save.
Come and take away my pain.

Too much grief is mortal bane,
Light buried in a darkened cave.
Mourning for lost love is vain.

Take me out in the wind and rain
If not the sunshine, I'll be brave.
Come and take away my pain.

Out to the glen where deer have lain
And let its rill my body lave.
Mourning for lost love is vain.
Come and take away my pain.

Love In Eld

Affection more than passion is my love now,
The gentler love that mellowing years can bring.
  The lust of youth now rarely bothers
  Me, and the touch of my hand is tender,

Caressing, not possessing, is my embrace.
My heart could not endure the tormented love
  That once it knew, but now no longer
  Suffers, the rage of the blood is over.

But love is in me still, though a milder kind,
As swallows touch in air, or as mating swifts,
  And then fly on, or as wayfarers
  Meet and converse, before passing onward.

And I've a house whose door I keep open for
Those rarer beings who are my soul's true kin,
  With food and drink, and rest for weary
  Hearts, and a glow in the fire if wanted.

I promise nothing but that you'll always find
Such welcome here, if you should choose to come,
  Your coming free, and free your going
  Hence, like the wind on the moorland blowing.

On The Muir

From this hour this place is holy
For you have made it so
Who lay here in my arms
In tenderness and love
Giving and taking peace
In this holy place.

The friendship of the mind
Can never be complete
Unless the body adds
Its communion to it,
Uniting both in bliss
With one consummate kiss.

Though murder here has stalked
And worked unholy deeds
Would seem to damn the place,
The willow-warblers sing
Deriding melancholy;
Love has entered
And sin is conquered:
From this hour the place is holy.

La Crise Quarantaine

A wife and mother long before
She's had the liberty to explore
Her virgin body and its lust
With boy and girl, as girlhood must,

At forty the girl in her broke free
From wifedom and maternity,
And with an ardent young man tried
The fawn-love she had been denied.

On moor and hill, in all conditions,
She had her lily-white inhibitions
Taken down, her tight defences
Stripped, in an orgy of the senses,

Enjoyed such unbridled lechery
As shocked her respectability.
A wanton hitherto unseen
Emerged from the matron she had been.

She romped with her deer through woodland rides
And dunked her butt in daring tides,
Innocent in her venery
As any hind by grove or scree.

But as no carnival can last,
So, in time, her orgy passed,
And as dry weather follows rain,
Her matron self took over again.

Took over, but with a new dimension,
Having learned in her declension
That body and soul are one, not two,
And carnal claims must have their due.

Thereafter, girl unites with wife
In living the full woman's life;
And where her predilection leads
She tries to meet her several needs.

Hopes

October winds are over the Lammermuirs
And gecking grouse are whirring about the hills.
　　The meadow-pipits trip and flutter
　　Hither and thither in charms and flocklets.

The autumn glens are coloured with reds and browns,
With golds and greens and purples, with mauves and greys
　　Where sheep among the heather dotted
　　Scatter about like old cotton hankies.

And here in Hopes the burn is meand'ring down
The glen the same's it did ere the Bruce was born,
　　Its voice a simple, quiet brattle
　　Scarcely perceptible in the stillness.

What peace the place affords us this glorious day!
What gifts of solace for the tormented heart,
　　What beauty given us unasked for,
　　Lavished on us by indulgent nature!

In such a scene it's hard to believe that men,
So blessed by Mother Earth with such paradise,
　　Should even now her death be plotting –
　　Her and themselves, her bedevilled children.

It shouldn't be too much for our human race,
The shepherd of subordinate Earthly kinds,
　　To hope for peace among our kindred
　　Here in this garden of all the planets.

Benediction

　　A tousy, dirty, draughty chalet
　　Gnawed by the winds on a rocky shore,
　　Yet I blessed the place with all my heart
　　For in wintry weather, foul and squally,
　　It welcomed us with open door
　　And played the generous hostess' part,
　　Giving us shelter and a bed,
　　And peace and quiet for some hours
　　When such are like Sahara snow.
　　There on Ambrosia we fed
　　And gathered paradisal flowers
　　Like those upon Olympus grow.

But joys must end, the lovers grieve,
And when at last we had to leave,
I gratefully blessed that mortal shack.
Then we took the long road back.

The White Hind

As I came through
The wood to drink
At a burn I knew,
A white hind
Came down from the hill
And sauntered along
To the purling rill.

The body and mind
Stood immobile
As she drew near
To lap her fill
With delicate tongue,
Her white flanks
A living song,
Alert eyes tender
Yet free of fear.

It was as though
She wove a spell
Over my will
That lulled me into
Self surrender.

I watched her go
Back from the brink
Along the banks
And up the hill.

Motionless there
I mused awhile
On her fluent beauty:
And felt no more
The urge to drink.

The Lyart Stag

A lyart stag,
Duel scarrit
And grazed wi shot
Frae forest and crag
Browses his lane
Owre hill and glen.

Nae monarch he,
But in his day
Has muntit his hinds
And sired his young,
Wha nou but hauds
His lanesome wey
Owre corrie and brae,
Frae the herd ootflung,
Prickly as thorn
Yet easily woundit
Under his tynds,
Handicappit
By the wecht o horn.

A life, ye'd say,
No lang to be spared
But shot or trappit,
A future wanfoondit,
A tree for the fellin?

But whit's yon raird
Blares oot on the wynd?
The auld stag bellin'
For the white hind.

The Lyart Stag To The White Hind

An old hart is always bidding his loves
Goodbye, as he sees them off on their lives.
Not for age to have and to hold
But to let go, as their lives unfold.

So I say goodbye to you
As you leave the old life for the new.
Go with my blessings, love, and care not
For things that might have been but were not.

The lips of youth forever burn.
Age is cold and taciturn,
Confronted by an invisible wall.
And the dry dust devours all.

Therefore garner the ripened grain:
Lost loves come not back again.
Harvest the sun while still it shines
And pluck the grapes from the loaded vines.

Yet passion's not the whole story –
In fact, it is but transitory.
Love's better part is tenderness
Which is beyond the reach of time
And even touches the sublime.
It alone does not grow less
With age: so go with tenderness.

And may tomorrow be more serene
Than your yesterdays have been.

'Phone Call

Tom Scott here.
   Guess who, my dear.
I know the voice, but –
   You know more than that.
Oh? Another voice from the past.
   I am your first friend and your last.
You talk in riddles – why?
   No, you do that, not I.
I don't understand.
   Yet you and I go hand in hand.
That's just not to be believed.
   We've been so since you were first conceived,
   And when you were born, I was born too.
You were born too?
   Now do you guess?
You strike some chord, I must confess:
But no, I'm still at sea.
   You shouldn't be.
Am I mad, and you projected from my mind?
   I'm no projection, as you will find.
Not my anima or shadow?
   Not your soul, and closer than your shadow.
To hell with this – tell me your name!
   Not so fast, but I'm not unknown to fame:

Just think of me as the lady in black.
Oh yes, "Who always looks neat and never looks slack,
And, boy, when she kisses, she kisses so sweet
She makes things stand that never had feet."
    Few jest with me; but nobody kisses like me.
That "not impossible she"!
I shivered just now, as if with fear.
    I am your last and best love my dear.
YOU!
    Now you no longer wonder who.
    Are you afraid?
Puzzled more than afraid:
When do we meet?
    Oh, not quite yet.
    I just remind you, lest you forget.
Forget? Never.
    And when we bed, it will be forever.

Let Go Who Will

In this time I would ask three things,
    As the solitudes round me close:
Spare but the sensitive nerve that sings,
    The stormcock and the rose.

For none I can lose are really lost,
    Traitor no friend could be:
Bury the dead and forget the cost,
    Love only who stand with me.

Let all those go that want to go,
    Let only the leal remain:
The half-and-half would melt like snow
    Or as ice dissolves in the rain.

Sula Bassana

Gigantic paper dart by God himself
Hurled from the Rock as from eternity,
Hurtle, gannet, out from your nesting shelf
On glider pinions over the bleak North Sea.
Dive-bomb the ocean from your towering height
Harry the deep for the blue and silver in it,
Your arrowed beak shoot true by triggered sight,
Surer than landlubber falcon on green linnet.

Your grey-ice eye no other vision sees
Than the epiphanies evoke your dare-death dive:
Your eye that makes my sensuous heart's blood freeze,
Appalled that so cold a thing can be alive.
The heights and depths to it are both the same:
Icy partners in your daily game.

A World Fit For Cats To Live In

Tom cats are compelled to roam
Though cars are always prowling by.
Must we immure our cats at home?

Two days and nights we had to comb
This once green neighbourhood, and pry,
Our tom cat too impelled to roam,

Through gardens decked with crock and gnome,
Searching under a winter sky.
Must we immure our cats at home?

Broken and shocked and flecked with foam
In a rickety shed we saw him lie,
Our tom cat no more fit to roam.

Folk rush from garage, port and drome
Seeking the speediest way to die.
Must we immure our cats at home?

How sombre is the sunset gloam
When driven drivers graveward fly.
Tom cats are impelled to roam.
Must we immure our cats at home?

The Caldwellerie:
Greenside Place, St. Andrews

What should I call it? An oasis of light
in a desert of dark would overstate it;
but well this side hyperbole.
Da and Ma, Jim and Johnny,
Bob too young for my co-agers,
gifted people in a house kept open
for the young to meet and flap their wings in,
lamps of the mind, or camp-fires
to gather round for warmth and light,
for camaraderie.

Education personalised,
not hung up at four on the classroom door
is education realised,
disimprisoned, liberated
from musty books, and incarnated.
This gift these real educators gave
to we privileged teenagers.

What more can I say of that green latitude,
that Greenside Place of human grace?

Only this word of gratitude.

Presidential Operation

The media made a meal of it,
President Reagan's bowel cancer,
Gobbled every littlest bit
Carved from him by the surgical lancer.
His twisted bowels were on display,
Precise details of the cuts,
Till Amurkin viewers all could say
""President Raygun's sure gat guts!"

The Harp

for Joy and Ian Montgomery, July 25th, 1986.

A finer harp was never pluckt by hand,
its splendid powers intent on being heard;
yet none who broached the strings could understand
how to unbind each gagged and trammelled chord
and, like the sun from dawn clouds breaking through,
liberate its music, vibrant and true,

until there came a harper from the north,
but little known here in our southern halls,
whose peerless touch conducted such tones forth
as roused the jaded ears of the very walls.
The fumble-thumbs made way, as to one appointed
by divine right – this happy day anointed.

Harp and hand now animate a score
too long unheard, a sleeping harmony
awake to life, to resonate and soar
over the autumnal storms, age, and decay,
pealing above the downpours and the thunder.
Whom God thus joins, no one can put asunder.

Seashore Music

Grass and sea-pinks, rocks and sand, the scene.
Over the windless Firth the Isle of May
In fluent light is craggy white and green.
Never have we known a clearer day.

Over the rippling Firth the Isle of May
Gainstands the endless gnawing of the sea.
Never have we known a purer day.
Seabirds from mere earth seem floating free.

Gainstanding timeless gnawing of the sea,
The isle defends its landlife from sea claws.
Seabirds from the Earth are floating free:
Fulmars, eider, waders, terns and maws.

The land defends its life from riving claws,
This life aground, set between sea and sky:
Fulmars, eider, gannets, terns and maws,
And even we our own selves, you and I,

Our groundling life between the sea and sky,
Seem also to be winged and sailing free
As, for a time, we find ourselves, you and I,
One with the spell of the place,

      the air,

         the sea.

Word Leet o Scots

In general, Scots gerund ends in -in, present participle in -an, and past participle in -it or -t.

*A*a	All	*B*ackheld	Hold back, keep back
Aakin	Many sorts	Backlins	Backwards
Abees	As well as, besides	Baerd	Beard
Aberglaube	Old fogey	Baffies	Slippers
Ablow	Below	Bairgean	Barging
Abreel	Whirl, rushing	Bairn	Child
Abuin, Abune	Above	Bairnskip	Childhood
Acquent	Acquainted with	Baith	Both
Ae	One; a	Baukie	Bat (animal)
Aff	Off	Bawsont	Piebald
Agin	Against, again	Bedeen	At once; altogether
Agley	Astray	Begrutten	Having wept
Ahent, Ahint	Behind	Beikit	Baked
Aiblins	Perhaps	Benmaist	Inmost
Ain	Own; one	Benwart	Inward
Airn	Iron	Besouth	Southward
Aith	Oath	Beuch	Bough
Aiverin	Eager	Beverit	Swaying to and fro
Ajee	Ajar; astray	Bidan	Lasting
Alane	Alone	Bield	Cottage, shelter
Aleamin	Aglow, glowing	Bien	Well-packed
Allutterlie	Completely	Biggit	Built
Alowe	Aflame	Bine	Woodbine
Alunt	On fire	Binna	Unless, except
Amadan mhor	Big fool (Gaelic)	Birl	Turn, spin
Ance	Once	Birn	Burden
Ane	One	Birss	Sturdy
Anent	About, concerning	Blate	Diffident, shy
Anerlie	Only; one by itself	Bleezan	Blazing
Anterin	Adventuring	Bletherskite	Empty talker, chatterbox
Ashet	Serving-plate		
Aspar	Spread	Blin	Blind
Astrawin	Bestrewing	Blinteran	Flickering
Athil	Noble	Bluid	Blood
Athoot	Without	Boatickie	Little boat
Athort	Across, athwart	Bocht	Bought
Atweel	Oh well!	Bodan	Boding
Atween	Between	Boddle	Small coin
Aucht	Anything; belonging to	Bomulloch	Gladness turned to sorrow
Auchts	Belongings		
Auld-farrant	Old-fashioned	Bou	Bow, bough
Ava	At all	Boued	Bowed
Awa	Away	Bouk	Bulk
Awee	A short time	Brae	HIll
Ay	Yes	Braeth	Breath
Aye	Always	Braidfuit	Broadfoot
Ayebydan	Eternal, everlasting	Braird	New shoots
Ayont	Beyond	Bree	Brew; brow

Breeks	Trousers
Breel	Rush forward
Breid	Bread
Breist	Breast
Brek	Break
Bren	Burn
Brichts	Beautiful (women)
Brod	Prod
Browdenan	Loving, very fond of
Bruckleness	Brittleness, fragility
Brukle	Brittle, fragile, temptable
Buckeran	Bucking, surging
Buhll	Bull
Buit	Boot
Bumbazed	Astounded, stupefied
Bund	Bound
Buteless	Vainly
Byde	Stay, endure
Byke	Hive (of bees or wasps)
Byle	Boil
Bylins	By and by; soon
Byordinar	Extraordinary, unusual
Caa	Drive
Caff	Chaff
Caller	Fresh
Camsteer	Unruly
Cantie	Happy
Carl(in)	Old man (woman)
Carry	Sky
Cauf	Calf
Causeys	Causeway-cobbles
Ceòl Mòr	(Gaelic) Great Music, Pibroch
Chafts	Jaws
Channer	Complain
Chappan	Knocking
Chaumer	Room
Chiel	Fellow, chap
Chimla-reek	Chimney-smoke
Chowks	Cheeks
Clairt	Dirt
Claithes	Clothes
Clanjamfrie	Crowd (of people)
Claucht	Caught
Cled	Clad
Clek	Talk
Cletter	Chatter
Cleuch	Cliff
Clifts	Cliffs
Clunter	Clatter along (in boots)
Coble	Small boat
Coman	Coming
Compengons	Companions
Coorse	Coarse, course
Coronach	Dirge
Couerand	Cowering
Couried	Snuggled
Cowp	Overturn
Craitur	Creature
Craws	Crows
Creeshie	Fat, greasy
Crine	Shrink
Croodlan	Cooing
Croun	Crown
Crouse	Loving, lovey-dovey
Cuif	Vain fool
Cuist	Cast
Culd	Could
Curmurmurs	Murmurs
Dae	Do
Daed	Dead
Daeth-strak	Death-stroke
Daffin	Horseplay
Dainshoch	Fastidious, sensitive
Dairtit	Darted
Dang	Beat
Darg	Work, task
Daunders	Strolls
Daur	Dare
Dautit	Petted
Daw	Dawn
Deavan	Deafening
Dee	Die
Deemin	Judging, assessing
Deif	Deaf
Deil	Devil
Delendit	Destroyed
Dennar	Dinner
Deray	Disarray
Dern	Secret
Desart	Desert
Devall	Descend, slope
Devorit	Devoured
Dicht	Wipe
Ding	Beat, defeat
Dirl	Drum, heavy beat
Dis	Pluto
Disjaskit	Dejected, exhausted
Dock	Backside, bum
Doo	Dove
Doole	Sorrow
Doot, dout	Doubt

Dosant	Sleepy-headed	Fidgin	Restless (sexually)
Doukt	Dipped (in water)	Fient	The least
Dounlins	Downwards	Fiky	Itchy
Dow, dowie	Sad	Flane	Arrow
Dowdie	Shabby	Fleean, Fleein	Flying, fleeing
Dowp	Backside	Fleerand	Flaring
Doxie	Whore	Fleggit	Frightened
Draucht	Draught	Flonkie	Flunky; fancy-woman
Dree	Endure	Flotters	Flutters
Dreeit	Suffered, put up with	Flouer	Flower
Dreich	Dreary	Fludeways	Floodways
Drivan	Driving	Fluir	Floor
Droddums	Backsides	Flype	Flay
Drouk	Soak, drown	Flyte	Scold, berate
Duds	Clothes, rags	Focht	Fought
Dugs	Breasts; dogs	Follaed	Followed
Duin	Done	Forbye	Also, as well as
Duis	Does	Forder	Advancement
Dule	Sorrow	Foregaither	Gather together
Dunnie	Slum, hovel	Forenenst	In front of
Dwaum	Dream	Forestam	Prow, bowsprit
Dwine, dwyne	Dwindle	Forfairn	Tired out
		Forfochen	Tired, exhausted
*E*ebrou	Eyebrow	Forgie	Forgive
Eftar, Eftir	After	Forhou	Forgive
Eftirstang	Pang of guilt	Forleit	Forgive
Eident	Diligent	Forrit	Forward
Embro	Edinburgh	Forsin	Forcing
En	End	Fou	Full; drunk
Eneuch, enou	Enough	Fowrth	Fourth
Erd	Earth	Freit	Something frightening
Eterne	Eternal	Fremmit	Foreign
Ettle	Aim, try	Fu	Full
Evin	Evening	Fuil	Fool
		Fuit	Foot
*F*aa	Fall	Fuitfaas	Footfalls
Fablet	Fabled	Fullyerie	Foliage
Faemen, Faes	Foes	Furriners	Foreigners
Fand	Found	Furth	Forth, beyond
Fankles	Tangles	Fyke	Itch
Faroush	Wild, savage	Fyles	Spoils
Fash	Bother		
Fashious	Troublesome	*G*aan	Gannet
Faus, fause	False	Gaean	Going
Feart	Afraid	Gaed	Went
Fecht	Fight	Gainstands	Withstands
Feck	Amount	Gairnert	Garnered
Fegs	(expletive)	Gallus	Aggressive, forward
Feirs	Fellows	Gan	Go
Felloun	Deadly	Gangrel-clek	Criminal's cant
Feres	Brothers	Gangs	Goes
Ferlie	Supernatural	Gant	Gape, yawn
Feth	Faith	Gar	Compel

Garth	Garden	Hantle	Handful
Gecking	Mocking	Hap	Wrap
Gress	Grass	Harns	Brains
Gettand	Getting	Harsk	Harsh
Gey	Very, somewhat	Haud	Hold
Gif	If	Hauflin	Teenage boy
Gilden	Gold-coloured	Haughs	Thighs
Gilravage	Prowl for mischief	Haus, hause	Neck
Girn	Grumble	Heeze	Hoist; rear up
Girst	Grist	Heich	High
Glaur	Mud	Heirskip	Heirship, heritage
Gled	Glad	Hen-ree	Hen-run
Gleg	Swift, eager	Hender	Hinder; hindmost
Gliff	A quick glance	Hendmaist	Hindmost
Gorble	Gobble	Hent	Held
Goun	Gown	Herlane	By herself
Gove	Gaze	Herry	Harry
Gowd	Gold	Hersel	By herself, alone
Gowf	Golf	Hert	Heart
Gralloch	Disembowel	Hes	His
Grane	Groan	Hevin	Heaven
Grat	Wept	Hicht	Height
Grauvit	Cravat	Hidan	Hiding
Greeit	Agreed	Hing	Hang
Greekin, greikin	Dawn	Hinney	Honey
Grein	Yearn	Hippin	Nappy
Greislie	Grizzly	Hirple	Hobble
Greit	Weep	Hislane	By himself
Gress	Grass	Hoodie-craw	Hooded crow
Gret	Great	Hotteran	Simmering
Grieshoch	Dying embers	Hou	How
Grouws	Grows	Houlet	Owl
Grue	Shudder	Howe	Hollow
Grun, grund	Ground	Howf	Pub
Grup	Grip	Howk	Pull, dig
Grypan	Complaining	Howt	Knoll
Guddle	Grope, fumble	Hymeneals	Wedding-rites
Guidin	Guiding	Hyne	Distant
Guidman	Husband	Hyneness	Distance
Guidwoman	Wife		
Guisand	(Begging) in disguise	*I*lka	Each
Gurl	Gurgle	Ill-farrant	Badly made
		Inben	Inside
*H*aa	Hall	Ingane	Ingone
Hace	Hoarse	Ingans	Onions
Hae	Have	Inthairmit	Tangled, like intestines
Haed	Head	Intae, inti, intil	Into
Haet	Jot	Itslane	By itself
Hain(s)	Save(s)		
Hairms	Harms	*J*aloused	Guessed
Halie	Holy	Jauggy	Jagged
Hamelins	Homeward	Jee	Budge
Hansel	Birth-gift	Jimp	Tight, small-made

200

Jing-bang	Foolish crowd
Jobber-tykes	Working dogs
Jow	Jolt, Toll (bell)
Jyne	Join
Kaa	Drive, push
Kailyaird	Cabbage-patch
Kebbuck	Cheese
Keek	Peep
Keenan	Wailing
Kennand	Knowing
Kennlit	Kindled
Ken	Know
Kep	Catch
Kingrik	Kingdom
Kintraemen	Countrymen
Kittle	Tickle
Knowe	HIllock
Kye	Cattle
Kyth	Appear
Laich	Low
Laith	Loth; loathe
Landrowth	Rich in land
Langsyne	Bygone times
Larn	Learn
Lat	Let
Lauch	Laugh
Lave	Rest, remainder
Lawin	Payment due
Leain	Leaving
Leal	Loyal
Leam	Glow
Lear	Learning
Leddy	Lady
Leein	Lying
Leerie	Lamplit
Leese	Let, allow
Leggie	Leglet, small leg
Leid	Language
Lessit	Leased
Letna	Let not
Lichtlied, lichtliyit	Made light of
Licom	Body
Lift, luft	Sky
Lig	Lie
Limmers	Mischevious girls
Lintlocks	Flaxen hair
Lippan	Trusting
Livand	Living
Loof	Hand
Lookt	Looked
Lourand	Menacing

Lowan	Glowing
Lowdert	Beaten, flogged
Lowe	Glow, flame
Lown	Calm
Lowse	Loose
Luckent	Bound
Lue	Love
Lums	Chimneys
Lunt	Burning light
Lyart	Grizzled
Lykerous	Lecherous
Maen	Moan
Maikless	Matchless
Mair	More
Mairdlit	Spoiled
Maist	Most
Makar	Maker, poet
Mallachie	Shimmering
Malorous	Evil
Mangset	Anxiety
Mangstie	Anxious
Manless	Castrated
Masquit	Masked, disguised
Matutine	Morning
Maugre	Despite
Maun	Must
Maunder	Drivel
Maut	Malt
Mauvert	Swayed to and fro
Meenit	Minute
Meeths	Marks, signposts
Mell	Mingle
Mense	Nous, common sense
Mercats	Markets
Mindit	Recalled, remembered
Mirklan	Darkling
Mirkress	Darkness
Mony	Many
Mool	Soil, grave
Mort-claith	Shroud
Mou	Mouth
Muckle	Much
Mude	Mood
Muir	Moor
Multure	Levy of grain paid to miller
Muntit	Mounted
Murle	Crumble
Murn	Mourn
Musin	Musing
Mylane	Myself alone
Myndit	Recalled

Na, nae	No	Pouer-wod	Power-mad
Nearand	Nearing	Poulet-ree	Hen-run
Neb	Nose	Poupit	Pulpit
Neep	Turnip	Pouthert	Powdered
Neuk	Nook	Pow	Pate
Nidgit	Nudged	Preive	Taste, test
Nieves	Fists	Prent	Print
Nirled	Stunted	Prisan	Prising
Nitheran	Confining	Puckle	Amount, a number of
Nocht	Nothing	Puggie	Monkey
Nocks	Clocks	Puirtith	Poverty
Noo, nou	Now	Purpour	Purple
Nor	Than	Pusioned	Poisoned
Nordren	Northern	Pyes	Magpies
		Pykit	Torn
		Pyson	Poison
Ocht	Ought; anything		
Onwittan	Notwithstanding		
Oor	Our; hour	**Q**uat	Quitted
Oorlane	By ourselves	Quate	Quiet
Opprest	Oppressed	Queyn, quine	Girl
Orra	Superfluous, idle, undefined, unusual	Quietit	Quietened, calmed
		Quim	Vagina
Outbye	Outside	Quiveran	Quivering
Outowre	Out over		
Outwaled	Chosen out		
Owreborne	Overcome	**R**aer, rair	Roar
Owrecome	Refrain	Raggit	Ragged
Owregien	Given over	Raird	Vocal noise
Owretaen	Overtaken	Ramstam	Headstrong
Owrethrawin	Overthrowing	Rape	Rope
O't	Of it	Rax	Reach
		Redds	Tidies, clears
		Reekie	Smoky
Pachty	Strong	Reeshlan	Rustling
Packie	Packman, pedlar	Reft	Deprived
Partans	Edible crabs	Reird	Noise
Pechan	Panting	Reishle	Rustle
Peeweep	Lapwing, peewit	Reive	Steal, rob
Pend	Close; long arch	Rerd	Uproar, noise
Pentit	Painted	Reuch	Rough
Petie	Pity	Richt	Right
Pettit	Petted	Rickle	Untidy bundle
Pey	Pay	Rin	Run
Phiz	Face	Risand	Rising
Picters	Pictures	Rivan	Tearing
Pillie	Penis	Rive	Steal; rip
Pirn	Bobbin	Rottit	Rotten
Plack	Small coin	Roun	Round; murmur
Plats	Weaves	Rowes	Rolls
Plattit	Pleated, woven	Rowth	Richness, plenitude
Plew	Plough	Rulan	Ruling
Plunkt	Deserted	Rype	Rake; steal
Po	Pot	Ryse	Branch
Poodlie	Young saithe (fish)	Ryve	Tear, rend; steal

Sae	So	Shilpit	Skinny, weakly
Saicont	Second	Shoon	Shoes
Saikless	Innocent	Shouther	Shoulder
Sain	Bless	Shuir	Sure
Sair	Sore	Sib	Kin, close to
Sall	Shall	Sic	Such
Sanct, sant	Saint	Siccar	Sure, certain
Sant-Aundraes	St Andrews	Sichin	Sighing
Santit	Sainted	Sikkar	Sure
Sauch	Willow	Siller	Silver, money
Sauf	Safe	Sillie	Fool
Saul	Soul	Sinsyne	Since then
Saumon	Salmon	Skanse	Glancing look
Saunts	Saints	Skart	Scratch; cormorant
Saut	Salt	Skaths	Offences, hurts
Sawbath	Sabbath	Skeely	Skilful
Saxt	Sixth	Skeery	Hysterical
Scabbit	Scabbed	Skelf	Splinter
Scabbled	Chiselled	Skelloch	Yelp
Scaffie	Dustman	Skelp	Slap
Scart	Scratch	Skiffie	Housemaid
Sclate-lowse	Slate-loose	Skime	Gleam of light
Sclenters	Slithers	Skire	Sparkling
Scliff	Scrape	Sklent	Slope; squint; glance
Sclim	Climb	Slaistert	Sloshed
Sconner	Pang of nausea	Slare	Smear
Scourin	Scrubbing	Slauchtert	Slaughtered
Scoys	Twist, writhe	Slawlie	Slowly
Scran	Swag; scrounge	Sleekit	Sly
Scrieve	Write	Slok	Slake
Scrunt	Stunted creature	Slue	Twist about
Scugs	Shadows	Smeddum	Vigour
Scunnersome	Nauseous,	Smeltan	Smelting
	disagreeable	Smiddy	Smithy
Sea-maw	Seagull	Smool	Glide
Seckt	Sacked	Smoor	Smother
Seg	Sink	Sneeshin	Snuff
Seik	Sick	Snell	Chill
Seil	Gladness	Sniftert	Sniffed
Seilfu	Happy	Snod	Snug
Selie, sely	Blessed	Socht	Sought
Sen	Since	Sodger	Soldier
Sendil	Seldom	Sonsy	Attractive
Sensyne	Since then	Sook	Suck
Ser	Serve	Soom	Swim
Seuch	Sough	Soppan	Soaking
Seyed	Attempted	Spak	Spoke
Shaks	Shakes	Sparple	Handful
Sharn	Shit	Speil	Climb
Shaw	Show	Speir	Enquire
Shawddie	Dressed stone	Spelder-haughed	Spread-legged
Sheddae	Shadow	Spinnand	Spinning
Shent	Destroyed	Sprachles	Sprawls

Spraedeaglet	Spreadeagled	Tairge	Shield
Spreit	Spirit	Tane	The one
Sprent	Sprinkled	Telt	Told
Spurtle	Stirring-stick	Tentin-o	Caring of
Staicher	Stagger	Teuch	Tough
Stang	Sting	Teuk	Took
Starn-glisk	Starlight	Thairms	Guts, bowels
Staw	Stow	Theekin	Furnishing
Steekit	Steeped	Theekit	Well-endowed
Steerand	Steering	Thegither	Together
Steir	Turmoil, stir	Theirlane	By themselves
Stentit	Taut, strained	Thir	These
Stertit	Started	Thirled	Tied to
Stevin	Noise	Tho	Though
Stibble	Stubble	Thole	Suffer, endure
Stier	Stir, commotion	Thon	That (indicative)
Stilp	Stride	Thowless	Gormless, weak
Stirk	Castrated bull	Thrapple	Throat
Stoggit	Pricked, pitted	Thraw	Wring
Stogs	Stabs	Thrawn	Twisted, stubborn
Stotious	Dazed; drunk	Threept	Repeated, reiterated
Stound	Pound, thump	Thrummin	Crepitating
Stoundit	Astounded; hurt	Thurghoot	Throughout
Stour	Dust-cloud; battle	Ti	To
Stramash	Tumult	Ticht	Tight
Stravaiged	Wandered about	Til	To
Strecht	Straight	Tinan	Losing
Streik	Stretch	Tink	Gypsy, tinker
Stude, stuid	Stood	Tirled	Rang (like a bell)
Sudron	Southern	Tirrocks	Terns
Suid	Should	Tither	The other
Suin	Soon	Tod	Fox
Suir	Sure	Toom	Empty
Suld	Should	Torkit	Tortured
Suppit	Drank	Tramorts	Corpses
Suthfast	Truthfast	Trauchle	Travail, trouble
Sva	So	Treck	Track
Swalm	Swell	Troon	Trowel
Swaw	Swell, waves	Tuim	Empty
Sweeland	Swilling	Twa, twae	Two
Swees	Sways, gutters	Tyauve	Labour, struggle
Sweirt	Loth, unwilling	Tyech	(expletive)
Swickerie	Treachery, deceit	Tynds	Tines, prongs
Swippert	Swift, lithe	Tyran	Tyrant
Swithe	Fast, quick		
Swither	Ponder what to do	Ugsome	Ugly
Synds	Washes	Uis	Use
Syne	Since	Unco	Strange
		Undimmit	Undimmed
Tacketty	Hob-nailed	Unfauldin	Unfolding
Tae	Too; toe	Untent	Unattending, uncaring
Taen	Taken	Untinable	Unlosable
Taigle	Tangle	Upheezan	Hoisting up

Uphodden	Upholding
Uprearan	Rearing up
Upstert	Upstart
Uttert	Uttered
*V*agin	Voyaging
Vair	Purple
Venimous	Venomous
Vexious	Vexatious
Vyaughly	Vaguely
*W*aa	Wall
Waantin	Wanting
Wae	Woe
Waement	Lament
Waik	Watch
Walit	Chase
Wanchancy	Unlucky, fated
Wanfoondit	Poor outlook
Wangettin	Misbegetting
Wanhope	Despair
Wap	Wrap
Warks	Works
Warslet	Wrestled
Warst	Worst
Warstles	Wrestles, troubles
Wast	West
Water-gaw	Rainbow
Wauk(s)	Wake(s)
Waukrife	Wakeful
Waur	Worse
We'se	We shall
Weans	Children
Wearless	Indestructible
Wecht	Weight
Weet	Wet
Weird	Fate
Welteran	Surging
Wersh	Tasteless
Wes	Was
Wey	Way
Weygaein	Waygoing

Weyghs	Weighs
Whalm	Whelm, cover
Wham	Whom
Whase	Whose
Whaup	Curlew
Whaur	Where
Wheen	Number of (things)
Wheepland	Plaintive whistling
Wheesht	Be quiet
Whilk	Which
Whitna	What kind
Whud	Hurry
Whunstane	Whinstone
Whups	Whips
Whusk	Whisky
Wi	With
Wice	Shrewd, wise
Winnae	Will not
Wir	Our
Wis	Was
Wonnins	Dwellings
Wowf	Wolf
Wrang	Wrong
Wreathit	Wreathed
Wuid	Wood
Wyce	Sensible
Wynd	Wind
Wyte	Blame
*Y*ae	One
Yare	Eager
Ye'se	You shall
Yerd	Earth; yard
Yeshu	Jesus
Yestreen	Last night
Yett	Gate
Yimmit	Guarded
Yin	One
Yir	Your
Yird	Earth
Yit	Yet
Yond	Yonder
Yourlane	By yourself, alone

Alphabetical List Of Titles

Biographical Note

Tom Scott was born in Glasgow, 1918, his father a shipyard boiler-maker on Clydeside, his mother a shop assistant. After a serious accident he attended Thornwood Public School two years late, then went to Hyndland Secondary School. Because of the great slump of 1929 and the subsequent depression, the family, including his younger sister, moved to St Andrews where he attended Madras College and his literary bias emerged. Leaving in early 1933, he spent a period as a message-boy in a butcher's shop before working as a labourer-apprentice in his grandfather's building firm.

As soon as war broke out in 1939 he was called up for service, first in Perth, then Manchester (late 1940–41), then two years in Nigeria, and finally in London where he stayed for 10 years in a literary milieu which included such distinguished names as G S Fraser, W S Graham, Roy Cambell, Meeri Tambimuttu, Herbert Read, Wyndham Lewis, Kathleen Raine, George Barker, John Heath Stubbs, Dylan Thomas, Louis MacNeice, T S Eliot, Peter Russell, Robert Colquhoun, Robert MacBryde and Stephen Spender.

Having publishing poems since 1941, in 1950 he received an Atlantic Award in Literature which allowed him to visit Italy and Sicily: later visits to the continent were to Belgium, Germany, Austria, Yugoslavia and Greece.

In 1952, at Edwin Muir's invitation, he attended Newbattle Abbey College for working men for a year, reading literature. He moved to Edinburgh in 1953, went up late to the University, and took his M.A. and Ph.D. in English and Scottish Literature and Language. During this time he had been writing and publishing poems in England, Scotland and the U.S.A. He has published several books of verse, criticism, books for children, and has written a comprehensive history of Scottish Literature which remains unpublished. He married Heather Fretwell in 1963 and has a son and two daughters.